TRIPTYCH

Triptych

Neu bortread, mewn tair rhan, o Bobun, 1977
A portrait, in three parts, of Everyman, 1977

R. Gerallt Jones

Argraffiad Cyntaf—2001
First Impression—2001

Cyhoeddwyd yn y Gymraeg gan Wasg Gomer ym 1977
First published in Welsh by Gomer Press in 1977

ISBN 1 85902 991 4

ⓗ R. Gerallt Jones ©

Llun y clawr: Glyn Jones, *Elegy* (manylyn), acrylig ac olew ar bapur.
Cover illustration: Glyn Jones, *Elegy* (detail), acrylic and oil on paper.

Cyhoeddir y gyfrol hon gyda chymorth
Cyngor Celfyddydau Cymru.

This volume is published with the support of
the Arts Council of Wales.

Argraffwyd gan Wasg Gomer, Llandysul, Ceredigion SA44 4QL
Printed in Wales at Gomer Press, Llandysul, Ceredigion SA44 4QL

I Ceri, Rhys a Dafydd
i gofio am yr amser llachar

Diolchiadau

Roedd Gerallt yn awyddus iawn i gyhoeddi cyfieithiad o'i nofel *Triptych*, ac yn awr, diolch i Wasg Gomer, gwireddwyd y freuddwyd mewn ffordd atyniadol a chyffrous. Hoffwn ddiolch yn fawr i Wasg Gomer am eu cefnogaeth yn ymgymryd â'r dasg o gyhoeddi'r gyfrol ddwyieithog hon mewn ysbryd mor hael a pharod. Rwy'n ddiolchgar hefyd i Iona Bailey am deipio'r gwaith mor lân. Rhwydd hynt i'r gyfrol.

Sŵ Jones

Acknowledgements

Gerallt was very eager to publish a translation of his novel *Triptych*, and now, thanks to Gomer Press, the dream has been realised in an attractive and exciting way. I would like to thank Gomer very much for their support in undertaking the task of publishing this bilingual volume in such a generous and ready spirit. I am also grateful to Iona Bailey for typing the work so immaculately. I wish the volume every success.

Sŵ Jones

Rhagair

Penderfynwyd mai dogfen gymdeithasol . . . oedd y nofel Gymraeg i fod. Yr oedd hyn yn anffodus o gofio'r ymchwydd dychymyg, yr anturio trwy ffantasi i fyd yr anweledig a'r tragwyddol, a roes fod i glasuron rhyddiaith Gymraeg ganrifoedd ynghynt.[1]

Dyna gasgliadau ysgrif gan R. Gerallt Jones sy'n bwrw golwg beirniadol dros hanes y nofel Gymraeg. Gellir gweld *Triptych* fel ymgais ganddo i gyflwyno trafodaeth ddwys ar 'yr anweledig a'r tragwyddol' i draddodiad y nofel Gymraeg.

Cyfeiria'r teitl *Triptych* at y dyddiadur mewn tair rhan a ysgrifennir gan ei brif gymeriad, John Francis Bowen, dyn yn anterth ei fywyd a gaiff ei ladd gan ganser terfynol. Rydym ni, darllenwyr y dyddiadur, yn dyst i'w gyffesion a'i fyfyrdodau; rydym yn dilyn ei ymdrechion i ddadansoddi'i dynged, ei ymchwil fewnol am ystyr. Nodweddid bywyd John Bowen cyn i'r salwch ymosod arno gan fodolaeth gorfforol anfeddylgar. Gwelwn ei feddyliau'n dychwelyd dro ar ôl tro i'r fodolaeth hon a enghreifftir gan ei gampau ar y cae rygbi a'r wedd gorfforol amlwg ar ei berthynas â'i wraig. Eto, dengys ei ddyddiadur ei fod yn ymgolli'n gynyddol yn y bydoedd mewnol a ddaw gyda darllen ac ysgrifennu. Mae'r darllenydd felly'n dyst i ryw fath o drawsffurfiad wrth i John Bowen ddatblygu llais llenyddol newydd a thrafod ei dynged drwy gyfrwng ei ddyddiadur. Mae'n ymbalfalu drwy gorsydd moesoldeb modern gan geisio wynebu'n haws y farwolaeth gyfagos drwy chwilio am y rhinweddau 'anweledig a thragwyddol' a all roi ystyr i'w fywyd byr.

Er gwaethaf y swyddogaeth amlwg sydd i'r daith fewnol hon yn y nofel, nid yw'n ymadael yn gyfan gwbl â phrif ffrwd ffuglen Gymraeg. Mae hefyd yn 'ddogfen gymdeithasol' o fath, gan fod R. Gerallt Jones yn cydblethu ymson John Bowen ar drothwy marwolaeth â thrafodaeth ar farwolaeth, neu farwolaeth bosibl, gwahanol agweddau ar ddiwylliant Cymru. Wrth iddynt wynebu crafangau'r canser, fe â John Bowen a'i wraig Sal o grombil Caerdydd ddosbarth-canol i lechu mewn cymuned wledig y mae ei Chymreictod wedi syrthio'n ysglyfaeth i adfyd economaidd a'r mewnlifiad Saesneg cysylltiedig. Mae'r modd y disgrifia John

---

[1] R. Gerallt Jones, *Ansawdd y Seiliau* (Llandysul: Gwasg Gomer, 1972), t. 28.

viii

Foreword

It was decided that . . . the Welsh novel was to be a social document. This was unfortunate if one recalls the surge of imagination, the adventuring by means of fantasy to the world of the unseen and the eternal, which gave rise to the classics of Welsh prose centuries earlier.[1]

These remarks conclude an essay in which R. Gerallt Jones assesses the historical trajectory of the Welsh novel. *Triptych* can be seen as his attempt to inject the tradition of the Welsh novel with a heightened consideration of 'the unseen and the eternal'.

The title *Triptych* refers to the three-part diary of its main character, John Francis Bowen, a man arrested in the prime of life by terminal cancer. We, the readers of this diary, are privy to his confessions and musings; we follow his attempts at interpreting his fate, his own private search for meaning. John Bowen's life prior to the onslaught of illness was characterized by an unreflective physicality. We see his mind returning again and again to his bodily existence, exemplified by his feats on the rugby field and the overtly physical nature of his relationship with his wife. His diary, however, shows him delving increasingly into the interior realms of reading and writing. The reader thus witnesses a partial transformation, as John Bowen develops his new literary voice, using his diary as a medium for the contemplation of his fate. This diary is full of questions, both implicit and explicit, as he tries to think through the relationships between mind and body, love and lust, right and wrong. He gropes his way around the massive grey area which constitutes modern morality, attempting to dilute the horror of his impending death by searching for 'the unseen and the eternal' qualities which might give meaning to his truncated life.

Despite this markedly inward journey, the novel does not diverge completely from the mainstream of Welsh fiction. It is also a 'social document' of sorts, for R. Gerallt Jones interweaves John Bowen's monologue at death's door with a consideration of the death, or possible death, of various aspects of Welsh culture. As they face the onslaught of cancer, John and his wife Sal flee their home in the bowels of middle-class Cardiff and seek refuge in a rural community. The village is in decline, and its traditional Welsh

[1] R. Gerallt Jones, *Ansawdd y Seiliau* (Llandysul: Gomer Press, 1972), p. 28.

Bowen sefyllfa'r pentref yn adleisio'r disgrifiadau o'r salwch sy'n distrywio'i gorff: 'Mae'r holl ddifrod cymdeithasol a grëwyd mewn pentrefi fel hyn yn dal i losgi ynof yn boen mud, disymud'. Saif y nofel felly ar groesffordd lle y mae priffordd sylwebaeth gymdeithasol yn cwrdd â llwybr diarffordd yr ymholi trosgynnol yma. Gwelir gwir gamp y nofel yn y modd y mae'n troedio gwahanol lwybrau disgyrsiol ar yr un pryd. Mae'n cyfuno realaeth sy'n frawychus o gignoeth ar adegau – realaeth sydd wedi'i seilio ar fanylion bob-dydd dadfeiliad John Bowen – â thrafodaeth alegorïaidd ar rawd 'Pobun'. Mae'r ffaith nad yw'r traddodiad beirniadol wedi gwneud cyfiawnder â gwead amlhaenog y nofel o bosibl yn egluro'r ffaith na chafodd hyd yn hyn ei sylw beirniadol haeddiannol. Enillodd *Triptych* y Fedal Ryddiaith i R. Gerallt Jones yn Eisteddfod Genedlaethol 1977, ac er i'r tri beirniad ganmol nifer o'i gwahanol rinweddau, taflwyd dŵr oer ganddynt ar ran bwysig o uchelgais y nofel:

Anodd deall arwyddocâd 'portread o Bobun, 1977' fel is-deitl i'r nofel. Mae John Francis Bowen, prif gymeriad a thraethydd y stori, yn gymeriad eglur a chredadwy [. . .] ond nid 'Pobun' yw'r cymeriad hwn.[2]

I'm tyb i, camddeallodd y beirniaid hyn y modd y dylid gweld hanes 'Pobun' ym mywyd John Francis Bowen. Gwir, nid yw'n cynrychioli trwch ei gyd-Gymry, ac yntau'n Gymro Cymraeg ac yn aelod o'r dosbarth canol dinesig, yn ddyn sydd wedi chwarae rygbi dros Gymru cyn mynd ymlaen i lwyddo ym myd y cyfryngau a datblygu llais llenyddol newydd hyd yn oed yn ei ddyddiadur. Na, nid yn y modd hwn y mae'n cynrychioli 'pawb', eithr ei fod – wrth wynebu marwolaeth ac wrth ymrafael ag ystyr eithaf bywyd – yn emblematig o'r cyflwr dynol.

Everyman, drama Saesneg o'r bymthegfed ganrif, yw'r testun sy'n rhoi i'r nofel ei his-deitl. Gan adleisio hynt a helynt prif gymeriad yr alegori ganoloesol, gorchwyl John Bowen yw dysgu diosg harddwch a chyfoeth ei fodolaeth fydol. Er y gellir darllen y nofel a'i gwerthfawrogi yn nhermau rhawd dyddiadur John Bowen yn unig, dylai unrhyw ddadansoddiad beirniadol llawn ystyried y

[2] *Eisteddfod Genedlaethol Cymru Wrecsam a'r Cylch 1977 [:] Cyfansoddiadau a Beirniadaethau* (Llandysul: Gwasg Gomer, 1977), t. 101.

way of life has fallen prey to economic adversity and the ensuing influx of Englishness. John Bowen records his reactions to the village's desolation in a way which echoes the descriptions of his own disease-ravaged body: 'The whole social carnage that has been wreaked on living, vibrant communities in villages like this still burns within me, a mute, insistent ache.' The novel thus stands at a crossroads where the well-worn track of social commentary meets a less-travelled path of transcendental inquiry.

One of the greatest strengths of the novel lies in its ability to travel different discursive paths at the same time. It combines an often unnerving, gritty realism – centered on the here-and-now of John Bowen's demise – with an allegorical exploration of the fate of 'Everyman'. The fact that the critical tradition in Wales has not yet come to grips with the novel's rich discursive textures perhaps accounts for the fact that it has not received the attention which it deserves. *Triptych* won the Prose Medal for R. Gerallt Jones in the 1977 National Eisteddfod, and although the three judges praised various features of the work, they also cast doubt on this all-important aspect:

> *It's difficult to understand the significance of 'a portrait of Everyman, 1977' as a subtitle to the novel. John Francis Bowen . . . is a clear and believable character . . . but this character is not 'Everyman'.*[2]

It seems to me that these critics misunderstood the way in which John Francis Bowen is to be taken as 'Everyman'. True, this member of the Welsh-speaking urban middle class is not representative of the bulk of his countrymen and -women; having been a world-class rugby player, and having had some success as a journalist and commentator, he manages in his diary to develop a new literary voice. It is not in this sense that he represents 'everybody', but rather that, in his encounter with death and in his struggle with the question of life's ultimate meaning, he is emblematic of the human condition.

It is the fifteenth-century morality play 'Everyman' which lends the novel its subtitle, and, like the main character of the medieval allegory, John Bowen's task involves learning to leave the beauty

[2] *Eisteddfod Genedlaethol Cymru Wrecsam a'r Cylch 1977 [:] Cyfansoddiadau a Beirniadaethau* (Llandysul: Gomer Press, 1977), p. 101.

gwaith mewn perthynas â'r moes-chwarae canoloesol. Hydreiddir *Triptych* gan gyfeiriadau at wahanol fathau o ddisgwrs alegorïaidd, disgwrs sy'n meddu ar draddodiad hir. Yn wir, fel yr awgrymwyd eisoes, gwelir gwir gamp y nofel yn y modd y mae R. Gerallt Jones yn cydblethu'r disgwrs alegorïaidd amlhaenog hwn â'r realaeth gignoeth sy'n cyflwyno bywyd bob-dydd John Bowen inni. Ar adegau, mae'r dyddiadur yn cyflyru delweddau cnawdol trawiadol drwy ddwyn i gof y farwolaeth sydd ar y gorwel. Felly, wrth ddisgrifio'r tro olaf iddo garu â'i wraig, mae John Bowen yn nodi: 'Ond doeddwn i ddim wedi anghofio'n llwyr beth allai fod yn gorwedd yn ein lle ar y gwely dwbl.' Mae'n cymysgu'r disgrifiad o gyfathrach nwydus gŵr a gwraig â delwedd ei gorff marw; mae dychymyg tywyll y dyddiadurwr yn cyfosod y ddwy ddelwedd ar yr un gwely. Mae rhannau o'r nofel yn darllen fel fersiwn naratif o thema a welir yn aml mewn celfyddyd faróc, sef 'Marwolaeth a'r Forwyn'. Mae'r thema weledol hon yn cyfosod *memento mori* â delwedd gnawdol; mae merch yn syllu mewn drych y gwelir penglog ynddo, ac mae ystum hyll y benglog yn tanseilio harddwch corfforol y ferch. Mae ymglywed â'r traddodiad alegorïaidd hwn yn ychwanegu at wead cyfoethog y nofel.

Gellir dilyn llinyn arall yn ei gwead celfyddydol drwy graffu ar y cyfeiriadau barddonol niferus. Bydd unrhyw ddadansoddiad o'r nofel yn elwa o'i darllen ochr-yn-ochr â barddoniaeth Dylan Thomas, John Keats a T. H. Parry-Williams. Llenor cyfansawdd o'r iawn ryw oedd R. Gerallt Jones – yn fardd, yn nofelydd ac yn feirniad. Cyhoeddodd farddoniaeth a beirniadaeth lenyddol yn Gymraeg ac yn Saesneg yn ystod ei fywyd. Rhan bwysig a roddai iddo ei orwelion celfyddydol eang oedd ymgydnabod yn ddwys â thraddodiadau llenyddol y ddwy iaith. Cyhoeddodd bum nofel gan drosi un ohonynt – y nofel hon – i'r Saesneg. Gellid dweud am nifer o resymau nad cyfieithiad ydyw, eithr trosiad. Yn hytrach na chyfieithu'i waith yn slafaidd lythrennol, air-am-air, fe fanteisiodd ar y cyfle i ailfeddwl rhai agweddau ar ei destun, gan ymateb o'r newydd i dynged ei gymeriad ffuglennol. Mae'r gyfrol ddwyieithog unigryw hon felly'n cynrychioli ymdrechion awdur Cymraeg i ddod o hyd i lais storïol Saesneg.

Jerry Hunter
Caerdydd, Mehefin 2001

and wealth of his earthly existence. Although the novel can be read and appreciated solely in terms of the here-and-now of John Bowen's diary, a full critical appraisal of the work needs to consider it in relation to the medieval morality play. *Triptych* is imbued with references to the age-old tradition of allegorical discourse. And, as has been suggested already, one of the greatest achievements of the work lies in the way in which R. Gerallt Jones has bound up this textured allegorical discourse with the flesh-and-blood realism of John Bowen's daily existence. Parts of the diary temper strikingly sensual images with a reminder of his impending death. Thus, in describing the last time he makes love with his wife, he notes: 'But I hadn't myself completely forgotten what could have been lying there on the bed in our place.' The passionate embrace of man and wife is superimposed over the vision of his dead body, both images seen in his mind's eye as lying on the same bed. Parts of the novel read like a narrative reworking of the 'Death and the Maiden' motif so popular in baroque art. This tradition of visual art – which places a *memento mori* alongside an image of sensual beauty, a young woman gazing in a mirror and being met by a grimacing death's head – provides part of the novel's rich texture.

Another layer of texturing is provided by the many poetical references, and a critical appreciation of the work will also be enhanced by reading it in relation to the poetry of Dylan Thomas, John Keats and T. H. Parry-Williams. R. Gerallt Jones was a composite literary figure – novelist, poet and critic. He published poetry and criticism in both English and Welsh during his lifetime, and his artistic horizons were articulated by a deep attention to the literary traditions of both languages. He published five novels in Welsh and translated one of them – this one – into English. It is in many ways a version rather than a translation. Instead of producing a word-by-word, literal rendering of the Welsh original, the author used the opportunity afforded by the act of translation to rethink his subject, reacting anew to his fictional character's fate. This unique bilingual volume represents a Welsh author's development of his own narrative voice in English.

Jerry Hunter
Cardiff, June 2001

I

Y peth cyntaf wnes i ar ôl cyrraedd adref oedd rhedeg i fyny'r grisiau i'r ystafell wely, gorwedd ar y llawr a rhegi nerth fy mhen. Rhegi a churo fy nhraed ar y planciau coed fel plentyn bach. Rhegi a rhegi. Gweiddi a dyrnu'r carped hyd nes yr oedd ymylon fy nwylo'n gleisiau i gyd. Gweiddi, a'r un gair yn poeri allan drosodd a throsodd: Pam? Pam? Pam? Wedyn troi ar fy nghefn a syllu'n fud ar y nenfwd am amser hir iawn. Wedyn, o bopeth, dechrau chwerthin. Roeddwn yn gallu fy ngweld fy hun yn drymio a dwrdio'n wrthun fabanaidd. Roedd y peth yn ddigrif. Pwy fyddai'n meddwl y buaswn i'n ymddwyn felly? Fi o bawb. Fyddwn i ddim wedi proffwydo'r fath ymateb. Ond, wedi'r cyfan, beth ydym ni ond anifeiliaid yn y bôn? Pa ymateb ond ymateb anifail wedi ei glwyfo fyddai'n ateb y pwrpas? Gorweddais ar fy nghefn, a'm gorfodi fy hun i fynd dros yr hyn a ddigwyddodd yn ffeithiol-ofalus, gam wrth gam, fel pe bawn i'n ceisio profi i mi fy hun mai breuddwyd oedd y cyfan.

Ond doedd dim modd gorfodi'r delweddau i ymddangos yn drefnus. Roedden nhw'n mynnu baglu ar draws ei gilydd, yn ddarlun swrealaidd o erchylltra tawel y diwrnod. Doedd o ddim, wedi'r cyfan, yn wahanol yn ei hanfod i unrhyw ddiwrnod arall. Hyd yn oed ar ôl i'r peth ddigwydd. Cyn belled ag y gwn i, fe gerddais i allan o dŷ'r meddyg fel unrhyw ddyn arall, gwthio heibio i'r criw cwynfanllyd oedd wrthi hi'n casglu poteli moddion wrth y cownter fferyllaidd, a thrwy'r drws. Roedd fy nghorff yn gweithio yn y modd arferol. Es allan i'r awyr agored, a theimlo'r gwynt oer ar fy ngwegil, yn chwarae â'm gwallt, yn bwrw trwodd i'r croen ar fy nghorun. Dydw i ddim yn digwydd bod y math o berson sy'n 'edrych ar ôl ei hun', fel maen nhw'n ei ddweud, a fedra i ddim dioddef unrhyw beth ar fy mhen, het na chap na dim. Gwthiais fy nwylo'n ddwfn i bocedi'r anorac las oedd bellach wedi tyfu'n hen gyfaill a chrymais fy mhen yn erbyn y dafnau glaw oedd i'w teimlo'n denau ar y gwynt. Cerddais i lawr Stryd y Castell ac i fyny'r arcêd agosaf. Gŵr canol-oed-ifanc, hyd yn oed, pe baen nhw'n edrych arnaf yn frysiog wrth basio – mewn anorac las, braidd yn aflêr yr olwg, gwallt am ben ei ddannedd, yn cerdded yn gyflym, yn fwriadus. Ond doedd gen i ddim bwriad. Dim pwrpas. Es i mewn i gaffi bach sgwâr, diolwg, a gwthiais fy

I

January 13

The first thing I did after arriving home was to run upstairs to our bedroom, lie on the floor and shout at the top of my voice. Curse and shout and beat my feet on the wooden planks like a small child. Curse and curse. Shout and batter the carpet with my fists until the edges of my hands were bruised. Shout, and the same word spitting out over and over: Why? Why? Why? Then I turned on my back and stared silently at the ceiling for a long long time. Then, of all things, I began to laugh. I could see myself thumping and swearing in my childish tantrum. The thing was funny. Who would have thought that I would have reacted like that? Me of all people. I wouldn't have predicted such a reaction. But, after all, what are we but animals? What reaction but the reaction of a wounded animal could serve the purpose? I lay still and forced myself to go over everything that had happened carefully and factually, step by step, as though I were trying to prove to myself that it was all a dream.

But I couldn't force the images to appear in order. They insisted on tripping over each other, a surrealist canvas of the day's quiet horror. It wasn't, after all, any different in essence from any other day. Even after the thing had happened. As far as I know, I walked out of the doctor's house like anyone else, pushed past the querulous customers who were waiting for their concoctions by the dispensary counter, and out through the door. My body worked in the usual way. I hit the open air, felt the cold wind on the nape of my neck, playing with my hair, striking through to the skin of my scalp. I'm not the kind of person who 'looks after himself', as they say, and I can't stand anything on my head, no hat or cap or anything. I thrust my hands deep into the pockets of the blue anorak that had by now become an old friend, and I bent my head against the scattered drops of rain that drove in on the wind. I walked down Castle Street and up the nearest arcade. A man, middle aged – young even, if they glanced hurriedly at me as they passed – dressed in a blue anorak, a bit untidy, hair all over the place, walking quickly, purposefully. But I had no purpose. No purpose. I turned into a little, square, shabby cafe,

hunan i gornel hefo cwpaned lugoer o goffi. Llwythais siwgwr i'r cwpan, a syllais allan trwy'r ffenest ar y bobl normal, hyll, gyffredin yn rhuthro heibio ar bob math o berwyl. Doedd gen i ddim perwyl. Edrychais ar y cloc ar y wal. Deg munud i un ar ddeg. Fe ddylwn i fod yn y gwaith. Roedden nhw'n disgwyl i mi fod yn y gwaith i ddewis y tîm ar gyfer dydd Sadwrn. Hwyrach nad af i ddim i'r coleg fyth eto. Fyth eto? Mae geiriau'n dechrau cario ystyron newydd yn barod. Byth. Dydw i ddim erioed wedi meddwl am Byth. Erioed. Mae Byth yn cerdded ymlaen ac ymlaen. Ac wedyn mae dyn yn troi ac yn gweld Erioed yn cerdded yn ôl oddi wrtho. Dydy f'Erioed i werth dim byd, mewn gwirionedd. Smotyn ar ganfas. Ond mae Heddiw'n ganol. Fel yr haul. Mae popeth yn dechrau cylchu o'i gwmpas o. Heddiw oedd y man canol.

Pan gerddais i i mewn i ystafell y meddyg am ddeg o'r gloch, doedd y creadur ddim yn gwybod ble i edrych. Roedd o'n ifanc, er ei fod y math o ddyn na fu'n wirioneddol ifanc erioed. Mae'n ddigon posibl mai fi oedd y cyntaf. Ei brofiad cyntaf o. Hwyrach y bydd y nesaf yn cael gwell triniaeth. Fe fyddai wedi bod yn waeth, serch hynny, pe baem ni'n adnabod ein gilydd yn dda. Pe bai Dafydd wedi gorfod dweud wrtha i, er enghraifft. Edrychais ar y dyn yn ffysian hefo'i luniau a'i nodiadau. I fod yn onest, fedra i ddim dioddef y math yma o berson. Manwl. Gofalus. Llawn mân ofidiau a mân ofalon. Y math o ddyn sy'n gwisgo het a menig ddechrau Medi am fod y calendr yn dweud fod yr haf drosodd. Rhoddodd y platiau pelydr-X yn fy nwylo, a dweud y peth o'r diwedd yn frysiog, yn drwsgwl. Doeddwn i ddim, wrth reswm, yn deall. Mae'n wireb seicolegol gyffredin iawn nad ydym ni ddim yn gallu derbyn newyddion drwg ar unwaith. Mae'r ymateb cyntaf bob amser yn negyddol. I ddechrau rydym ni'n dweud, 'Na, dydy o ddim yn wir'. Rydym ni'n gwrthod credu. Ond mae peth fel hyn yn fwy na newyddion drwg. Mae'r adwaith cyntaf yn annhebyg i unrhyw adwaith arall. Anghrediniaeth, yn sicr, ond rhyw ymdeimlad o barchedig ofn hefyd, rhyw gysgod anferth yn symud dros yr haul am byth. Am byth. Ond wedyn, mae'r cyflyru cymdeithasol yn cymryd drosodd. Pwy ydw i? Rydw i'n ddarlithydd mewn ymarfer corff. Rydw i'n enw yn y byd rygbi. Rydw i'n ŵr cyfrifol. Dydw i ddim i fod i dorri i lawr yn gyhoeddus. Dydw i ddim yn arfer sgrechian. Dydw i ddim yn arfer wylo. Dydw i ddim hyd yn oed yn arfer diawlio rhyw lawer. Felly dyma fi'n eistedd yn hollol lonydd

and struggled into a dark corner with my cup of tepid coffee. I loaded sugar into the cup, and stared out of the window at the horrible, normal, ordinary people rushing past, living their busy lives, fulfilling important functions. I had no function. I looked at the clock on the wall. Ten minutes to eleven. I should be at work. They would be expecting me there to select the team for Saturday. Perhaps I'll never go to the college again. Never? The word is beginning to echo in my mind already. Never. I've never thought of Never. Never. Ever. Never walks on and on. And then you turn and watch Ever walking in the opposite direction. My Ever isn't worth anything, really. A tiny spot on a white canvas. But Today is a centrepoint. Like the sun. Everything begins to spin around it. Today is the centrepoint.

When I walked into the doctor's consulting-room at ten o'clock, the poor fellow didn't know where to look. He was young, although he was the kind of man who's never really been young. Quite possibly, I was his first experience of it. Maybe he'll make a better job of the next one. It would have been worse, all the same, if we'd known each other well. If Dafydd had had to tell me, for example. I looked at the man fussing with his photographs and his notes. To be quite honest, I can't stand his kind of person. Precise. Careful. Full of little worries and little concerns. The sort of man who wears a hat and gloves in September because the calendar says the summer's over. He put the X-ray plates in my hands, and said the thing in the end hurriedly, clumsily. I, of course, didn't take it in. The first reaction is always negative. To begin with, we always have to say, 'No, it isn't true'. We refuse to believe it. But this is more than just bad news. One's first reaction isn't like any other first reaction. Disbelief, certainly, but a feeling of awe at the same time, a huge shadow moving across the face of the sun for ever. For ever. But then, social conditioning takes over. Who am I? I'm a lecturer in physical education, I'm some sort of name in the rugby world. I'm a man with responsibilities. I'm not supposed to break down in public. I'm not accustomed to screaming. I'm not accustomed to weeping. I don't even swear all that much. So I sit completely still in an uncomfortable chair, and say the things I've heard other people saying under similar circumstances.

mewn cadair fodern anghysurus, a dweud y pethau rydw i wedi clywed sôn am bobol eraill yn eu dweud dan yr un amgylchiadau. Ydy'r dyn yn siŵr o'i bethau? Oes yna unrhyw beth y gellir ei wneud? Rydw i hyd yn oed wedi gweld y peth yn digwydd fwy nag unwaith mewn ffilmiau. Wrth gwrs, mae nyrs go handi ar gael fel arfer mewn ffilm. Ond, am funud, actor mewn ffilm oeddwn i. Codais. Wir Dduw, gorfodais fy hun, Duw a ŵyr pam, i ysgwyd llaw hefo'r meddyg, fel rhyw Gari Gilmore yn mynd i wynebu'r bwledi yn llawn gras a gwirionedd. Ac wedyn, allan â mi. Dim ond felly. Doedd dim byd arall i'w ddweud, wedi'r cyfan. Allech chi ddim dechrau sgwrsio am y tywydd ac am iechyd y plant.

Ond y peth cyntaf wnes i ar ôl cyrraedd adref oedd colli pob llywodraeth arnaf fy hun. Gorwedd wedyn ar fy nghefn a syllu'n ddall ar y patrymau mawr sgwâr ar y papur wal. Fedar y peth ddim bod yn wir. Dydy marw ddim yn digwydd. Dydy o ddim am ddigwydd i mi. Stop. Tywyllwch. Rydw i'n ddeugain oed. Fydda i byth yn un a deugain. Na. Mae'r frawddeg yn amhosibl ei dirnad. Rwy'n gweld carreg fedd ac arni enw. F'enw i. John Francis Bowen. Bu farw 1977, yn 40 mlwydd oed. Nid hunllef. Gwirionedd. A dyna pryd y dechreuais wylo. Dydw i ddim yn gwybod am ba hyd. Am hir. Clywais y drws yn agor a llais Menna.

'Dad? Wyt ti yna?'

Eisteddais i fyny'n syth. Sylweddolais, am y tro cyntaf heddiw, fod pobol eraill yn y byd. Menna. Sal. Siôn a Llŷr. Neidio ar fy nhraed. Edrych yn y drych. O, Dduw mawr ! Wyneb hogyn bach ag ôl crio ar ei ruddiau.

'Rydw i'n mynd i gael cawod. Fydda i ddim yn hir.'

Tynnu fy nillad ar frys gwyllt. Troi'r tap. Cerdded i mewn dan y dŵr poeth. Y stêm yn llenwi'r ystafell a'i niwl caredig. Ond wrth sefyll dan y rhaeadr, daeth brathiad cyfarwydd o boen fel dannedd yn llarpio'r ymysgaroedd. Wwff! Aros yn berffaith lonydd. Dal anadl. Gafael yn dynn yn y peipiau poeth. Gollwng anadl yn araf araf, yn ofalus iawn, fel hen ŵr yn cerdded i lawr rhiw lithrig. Wedyn lluchio dŵr dros fy wyneb, rhag ofn i Menna ddod i fyny a gweld y chwys oer. Neu Sal. Wrth feddwl am Sal, dyma'r dagrau'n dechrau gwthio'n bowld y tu ôl i'm llygaid unwaith eto. Na. Fedra i ddim fforddio meddwl. Rhaid peidio â meddwl. Dyna'r unig ateb. Peidio â meddwl. Mae misoedd hwyrach, medda fo. Mae misoedd yn amser hir iawn. Bod fydd y peth. Mynd. Gwneud. Peidio â meddwl.

Does the man know what he's talking about? Is there anything that can be done? I've even seen the thing happening more than once in films. Of course, there's usually a pretty handy nurse around in films. But then again, for the moment, that's what I was; an actor in a film. I got up. My God, I even forced myself, God knows why, to shake hands with the doctor, like some Gary Gilmore going to face the bullets full of grace and magnanimity. And then, out I went. Just like that. There wasn't anything else to say, after all. You couldn't start chatting about the weather and the children.

So the first thing I did after arriving home was to lose control with total abandon. Then I lay on my back and stared blindly at the big square pattern on the wallpaper. It can't be true. Dying doesn't happen. It's not going to happen to me. Stop. Darkness. I'm forty years old. I'll never be forty-one. No. That sentence is not meaningful. I can see a gravestone with a name on it. My name. John Francis Bowen. Died 1977, aged 40. Not a nightmare. True. And that's when I started to cry. I don't know for how long. For a long time. Then I heard the door open and Menna's voice.

'Dad? Are you there?'

I sat up at once. I realised, for the first time today, that there were other people in the world. Menna. Sal. Siôn and Llŷr. I jumped to my feet. Looked in the mirror. O God! The face of a filthy kid after he's been kicked by a bully.

'I'm just having a shower. Won't be long.'

Undressed hectically. Turned on the tap. Walked in under the hot shock. Steam filled the bathroom. Made it kinder. But as I stood there, a familiar stab of pain thrust like a bayonet into my guts. Wwf! Stay quite still. Hold your breath. Hang on to the hot-water pipes. Breath out very slowly, very carefully, like an old man walking down a slippery street. Then splash water all over my face, in case Menna comes up and sees the cold sweat. Or Sal. As I think about Sal, the tears start pushing into my eyes once again. No, I mustn't think. That's the only answer. Don't think. There may be months, he said. Months is a very long time. Just be, that's the thing. Go. Do things. Don't think.

Yr unig fodd y gallaf i lwyddo i guddio fy nheimladau ydy trwy siarad, siarad a rwdlan actio'r chwaraewr rygbi allblyg, harti. Unwaith y dechreuaf feddwl, mae pob cyfrinach yn amlwg yn fy wyneb, fel delwedd mewn drych. Y peth mwyaf anodd heddiw rywsut oedd ceisio bod yn gymedrol wrth siarad â Sal a'r hogiau amser te. Doedd y byrbryd o ginio hefo Menna ddim mor ddrwg. Mae'r berthynas rhwng tad a merch bob amser yn arbennig, wrth gwrs. Rhyngof i a Menna mae'r gyfathrach yn llwyr rywsut. Mae'r ddau ohonon ni'n gweld y byd yn lle digrif iawn. Gan amlaf, pan fydd y ddau ohonon ni gyda'n gilydd, a neb arall yn bresennol, fe fyddwn ni'n byrlymu chwerthin am ben rhywbeth digon parchus a phwysig mewn dim o amser. Roedd hi'n hawdd iawn llamu i lawr y grisiau a gweiddi drwodd i'r gegin:

'Hei. Wyt ti'n gwneud bwyd?'

'M-hm.'

'Beth wyt ti'n ei gael?'

'*Chow mein* o'r paced, syr, a chwpaned o goffi.'

'Oes gen ti ddigon i mi?'

'Byddwch yn westai i mi – Cymraeg am "Be my guest". Lle mae'r siwgwr?'

'Sut wyt ti'n disgwyl i mi wybod?'

'Ti sy'n bwyta'r holl siwgwr, yntefe?'

Mae pobol yn cwyno eu bod yn colli eu plant wrth eu gwylio'n tyfu allan o blentyndod i lencyndod. Dydw i ddim wedi teimlo felly erioed. Mae Menna'n un ar bymtheg oed, newydd ddechrau ar ei chwrs chweched dosbarth. Rwy'n credu ein bod ni'n nes at ein gilydd nawr nag yr oeddem ni pan oedd hi'n blentyn. Dydw i ddim yn ei chael hi'n anodd o gwbl i edrych ar gnawd deniadol merch ifanc, a chofio mai fy mhlentyn i ydy hi. Wrth wthio heibio i'n gilydd yn y gegin amser brecwast, a phawb wrthi hi'n gwneud ei damed ei hun blith draphlith, rydw i'n sylwi arni, wrth reswm. Yn sylwi arni fel merch. Yn gweld fel y mae ei bronnau'n hollol gadarn yn chwyddo'n bigau trwy'r hen grys cras y mae hi'n ei wisgo'n styfnig gyson. Yn sylwi ar lyfnder a hyd ei choesau. Ond dydy hi ddim erioed wedi bod yn anodd sylweddoli fod yr anifail hardd yma'n ferch i mi. Mae'n destun llawenydd. Llawenydd afresymol. Rydw i'n falch iawn o'r peth. Yn falch fod yn y byd ferch ddeniadol y gallaf i edrych arni hi a'i harddwch yn hollol wrthrychol-bleserus; heb unrhyw guddgymhelliad.

7

The only way I can hide my feelings is by talking. Talking and acting the part of the hearty, jolly rugby player. Once I start thinking, every secret thought shines out of my face like a probing searchlight. The most difficult thing today was trying to be normal when I talked with Sal and the rest at teatime. The lunchtime snack with Menna wasn't so bad. The relationship between father and daughter is always special, of course. Between me and Menna, I like to think it's pretty total. We both of us see the world as a very funny place. Usually, when the two of us are together, with no one else there, we are in stitches about something perfectly serious in no time at all. It was easy to hurtle down the stairs and shout through into the kitchen:

'Hey. Are you cooking?'

'M-hm.'

'What are you having?'

'Chow mein specially poured from the packet, sir, and instant coffee.'

'Enough for me?'

'Be my guest. Where's the sugar?'

'How do you expect me to know?'

'It's you that eats all the sugar in this house, isn't it?'

You hear people complaining that they lose their children as they watch them grow out of childhood into adolescence. I've never felt that. Menna's sixteen, just started the Sixth Form. I think we are closer together now than we were when she was a child. I don't find it at all difficult to look at a young girl's beautiful flesh, and then remember that she's my daughter. As we push past each other in the kitchen at breakfast time, everyone is trying to do his own thing chaotically, I notice it, of course, I can't help realising that she's a woman. I can see how her breasts are firm, thrusting out through the old blue shirt she insists on wearing around the house. I can see how long and smooth her legs are. But it's never difficult to realise that this beautiful animal is my daughter. It makes me very happy. Irrationally happy. I'm very pleased about it. Pleased that the world possesses an attractive girl I can look at with a completely objective pleasure.

Mae hi wedi penderfynu'n ddiweddar mai peth aeddfed a synhwyrol iawn i'w wneud, gan fod yr ysgol mor agos, ydy picio adref yn yr awr ginio, a gwneud rhyw lun o ginio iddi hi ei hun, yn hytrach na phrynu bwyd yn ffreutur yr ysgol. Mae hynny'n rhan o'i chynllun i arbed arian, meddai hi. Dydy hi ddim yn credu y dylai merched ifainc fod yn faich ariannol ar eu teuluoedd, meddai hi. Mae'r miri amser cinio, wrth reswm, yn ddrutach yn y pen draw nag y byddai bwyta'n rheolaidd yn yr ysgol. Yn arbennig felly'n ddiweddar, gan fod rhai o'i ffrindiau wedi cydio yn y syniad hefyd. Roedd Sal yn awyddus i roi ei throed i lawr a gwrthod caniatáu'r peth.

'Wyddost ti ddim beth sy'n debyg o fynd ymlaen yna. Ac fe ddyle hi fwyta'n deidi, ta beth. Mae'r holl nonsens slimo 'ma wedi cael gafael arni ar hyn o bryd . . .'

Wel, mae Sal yn hen-ffasiwn. Eithaf peth, mae'n debyg, a minnau mor dueddol i eistedd yn ôl a mwynhau i'r eithaf y profiad o weld pob un o'r plant yn cerdded eu ffyrdd eu hunain mor wallgof hyderus. Fe'i darbwyllais gyda dadleuon call am y rheidrwydd i beidio â gyrru pobl ifainc i wrthryfela, yr angen i roi eu pennau iddyn nhw, ac yn y blaen. Y gwir yw fy mod i wrth fy modd, ar y dyddiau hynny pan fydda i adref i ginio fy hunan, yn ei gwylio'n symud o gwmpas y tŷ, yn mwynhau'r busnes cynhyrfus o fyw mewn ffordd mor uniongyrchol.

Heddiw roedd hi ar ei phen ei hun, heb unrhyw ferch arall i gyfnewid gosodiadau ysgubol, siarp â hi, a heb gwmni'r unig fachgen sydd wedi dod i'r sesiynau awr ginio hyd yn hyn, creadur mawr, trwsgwl o'r enw Nigel. Felly roedd hi'n hapus iawn i siarad a phrepian. Trodd y radio ymlaen ac eisteddodd y ddau ohonom yn y gegin i fwyta'r *chow mein* chwilboeth ac i wrando'n ysgafn-feirniadol ar dri gŵr ac un wraig ddifrif iawn yn trafod ysgolion a phobl ifainc yn drwm-oleuedig ar Radio Cymru. O'r diwedd cyrhaeddodd Menna'i llaw at y set a'i throi i ffwrdd gydag ystum eithafol o ddicter.

'O, sori, Dad, wir, ond fedra i ddim gwrando arnyn nhw. Dydyn nhw rioed wedi bod yn ifanc . . .'

'Nonsens.'

'Na, wir. Pwy fydde'n derbyn unrhyw gyngor gan bobol sy'n siarad fel 'na? Smo nhw eisie i ni wneud dim ond adrodd mewn steddfode a mynd i'r capel a helpu Mam i olchi llestri . . .'

9

She has decided recently that the mature and sensible thing to do, as the school is so close, is to nip home during the dinner-hour, and make herself some kind of lunch, rather than conform to the requirements of the school canteen. That, she says, is part of her economy drive. She doesn't believe, she says, that young girls should be a financial drain on their families. This lunchtime lark is, of course, more expensive in the end than regular meals in school would be. Especially recently, since her decision seems to have been the signal for a general lunchtime pilgrimage to our back door. Sal had been anxious to put her foot down and refuse to allow it.

'You just don't know what's going to go on there. And she should eat a decent meal anyhow. All this slimming nonsense has got hold of her at the moment.'

Well, Sal is old-fashioned. Just as well probably, bearing in mind my tendency to sit back and enjoy to the full the experience of seeing each one of the children walking their own paths with such mad confidence. I dissuaded her from drastic action with cool masculine arguments about the need to be careful not to drive the young people to rebel, the need to give them their heads. You know, this and that. The truth is that I'm delighted, on those days when I'm home for lunch myself, to watch her moving about the house, enjoying being alive in such a direct and simple way.

Today, she was alone, without any other girl to exchange sweeping, sharp-pointed comments with, and without the company of the only boy who has patronised these lunch-hour sessions so far – to my knowledge, that is – a big, awkward creature called Nigel. So she was happy enough to natter. She switched on the radio and we both sat down to eat the hot, sickly chow mein, and to listen frivolously to three men and one woman discussing young people with heavy liberality on Radio Cymru. Finally, Menna switched off the radio with a dramatic gesture of disgust.

'Oh sorry, dad, honest, but I can't sit and listen to them. They just don't know anything . . .'

'Nonsense.'

'No, honestly. Who would be stupid enough to listen to people like that? They don't want you ever to do anything but go to chapel and help Mam wash the dishes . . .'

'Wel, mae'n hawdd anghofio,' meddwn i'n wan, a'm ceg yn llawn o fwyd a'm llygaid yn ceisio derbyn neges olygyddol y *Guardian* uwchben y plât. '*Come off it . . .* dwyt ti ddim fel 'na.' 'Na, wel, rydw i'n anghyfrifol. Dydw i ddim ffit. Mae Mam yn dweud hynny.' 'Wyt.' Chwarddodd, ei llygaid yn llawen agored 'Wyt. Chei di ddim siarad am unrhyw beth ond rygbi. Dwyt ti ddim ffit.' Na, doedd amser cinio ddim yn rhy anodd. Wedi'r cyfan, tra pery bywyd . . . Dyna ymadrodd dychrynllyd. Fedra i ddim defnyddio unrhyw ymadrodd bellach heb weld dyfnder ei ystyr, a'i ddiffyg ystyr. Tra pery bywyd mae'n rhaid i'r holl fân bethau fynd yn eu blaenau, ac mae'n rhaid iddyn nhw lenwi pob twll a chornel o amser drosodd a throsodd. Wrth i ni olchi'r llestri'n frysiog ac aflêr gyda'n gilydd, meddyliais am y peth unwaith neu ddwy, ond dim llawer iawn. Ac erbyn y diwedd, a hithau'n cerdded allan trwy'r drws ar y ffordd yn ôl i'r ysgol, roeddwn i bron wedi anghofio. Ond unwaith y caeodd y drws y tu ôl iddi daeth y distawrwydd maith yn ôl, a'r ymwybod; a'r gwacter. Rwy'n cofio i mi sefyll yn hollol lonydd lle roeddwn i. Y peth diwethaf a wnes i oedd gwylio gwallt Menna'n codi yn y gwynt wrth i'r drws gau y tu ôl iddi. Ac yna – clep! – a distawrwydd. A sefais innau'n hollol, hollol lonydd. Roeddwn i ofn symud. Doedd dim pwrpas mewn symud. I ble y medrwn i symud? Am funudau hir teimlais nad oedd bywyd ei hunan ddim yn bosibl. Roeddwn i'n ymwybodol o bob anadliad, o'r broses o ymestyn ac ehangu cyhyrau'r frest a holl fân gelloedd yr ysgyfaint wrth anadlu'r aer cynnes i mewn, a'r rhyddhau a'r ymlacio wrth fwrw'r nwy gwenwynig allan drachefn. Roedd hyn yn digwydd filoedd a miloedd o weithiau bob dydd. Fe fyddwn i'n gwneud y peth filiynau o weithiau eto hwyrach cyn . . . fedrwn i ddim lleisio'r gair, hyd yn oed yn fy meddwl, heb aros am eiliad, ac yna gwneud ymdrech bendant i ffurfio'r casbeth. Marw. Marw. Marw. Yr unig beth angenrheidiol i farw oedd peidio ag anadlu. Troi'r peiriant i ffwrdd, ac fe fyddai Marw'n digwydd. Fyddwn i ddim yn peidio â bod. Fe fyddwn i'n dal yno. Yn fwndel trwm o gnawd ac esgyrn. 'Beth ydwyt ti a minnau, frawd.' Ond fyddwn i ddim yn fyw . . . Ysgydwais y peth i ffwrdd ac es yn ôl i'r gegin. Ond fedrwn i ddim gwneud unrhyw beth ymarferol. Rydym ni'n byw mewn tŷ cyffredin-gysurus yn ardal Cyncoed yng Nghaerdydd. Mae hi'n ardal sy'n frith o ddarlithwyr coleg a

'Well, it's easy to forget,' I said weakly, my mouth full of the dreadful chow mein, and my eyes searching the *Guardian* for easily digestible news.

'Come off it. You're not like that . . .'

'No? No, well, I'm irresponsible. Your mother says so.'

'Yes, you are. You aren't allowed to talk about anything but rugby. You're definitely irresponsible.'

No, lunchtime wasn't too difficult. After all, while there's life . . . Oh, my God, what a phrase. I don't seem to be able to use any phrase without seeing some hidden significance in it, some hidden emptiness. While there's life, you just have to fill it, every hole and corner over and over again, with meaningless little things. As we washed up hurriedly and inefficiently, I thought once or twice, but not very much. And by the end, as she walked out of the door on her way back to school, I had almost forgotten. But once she closed the door behind her, the great silence returned, and the consciousness of things; and the vast empty spaces inside me. I remember that I stood quite still where I was. The last thing I did was watch Menna's hair suddenly lifting in the wind as she opened the door. Then – bang – and then silence. And I stood quite quite still. I was afraid to move. There was no point in moving. Where could I move to? For long minutes I felt that life itself wasn't possible. I was conscious of each drawing in of breath, of the process of stretching and expanding the muscles of my chest, and of all the tiny cells in my lungs as I took in the warm air, and the release and the relaxation as I thrust out the poisoned gas into the atmosphere. This happens thousands and thousands of times each day. I would do it millions more times perhaps, before . . . I couldn't formulate the word, even in my mind, without pausing for a moment, and then gripping the horrible thing with a sudden sharp determination. Die. Die. Die. The only thing you had to do to die was stop breathing. Switch off the engine, and Dying would happen. I wouldn't just disappear though. I would still be there. A heavy bundle of flesh and bones. I wouldn't be alive . . . I shook the thing off, and went back into the kitchen. But I couldn't do anything practical. We live in a comfortable enough house in the Cyncoed area of Cardiff. It's a locality full of college lecturers and television producers and other such creatures. As an ex-rugby-player who's reasonably literate, I

chynhyrchwyr teledu a chreaduriaid tebyg. Fel cyn-chwaraewr rygbi sy'n weddol lythrennog, fe fydda i'n cyfrannu adroddiadau ar gemau rygbi'n weddol gyson i raglenni fel *Byd y Bêl* a *Sports Medley* ac, yn achlysurol iawn, pan fydd pobol fel Carwyn James i lawr hefo'r ffliw neu'n gwneud rhywbeth pwysicach, fe fydda i'n cael bod yn aelod o'r paneli sy'n trafod tîm Cymru hyd at syrffed cyn y gemau mawr, yn ystod y gemau mawr, ac ar ôl y gemau mawr. Rydw i ar ymylon y criw rygbi proffesiynol sydd wedi cynyddu mor aruthrol yng Nghymru yn sgîl y llwyddiant diweddar. Beth bynnag ydy'r gwirionedd, mae pob cynhyrchydd radio a theledu'n gweithio ar yr egwyddor y gellir gwerthu unrhyw syniad a bywiogi unrhyw raglen trwy eu cysylltu â rygbi. Ac mae llythyr ar fy nesg o'm blaen yn gofyn i mi ysgrifennu pwt i *Barn* y mis nesaf ar ganlyniad y gêm ddydd Sadwrn, a llythyr arall yn f'atgoffa am addewid a wnes i ysgrifennu pwt am fy mhrofiadau fy hunan ar y cae i ryw gylchgrawn arall – *Hamdden,* rwy'n credu. Ond fedrwn i ddim meddwl am eistedd o flaen y ddesg a defnyddio f'ymennydd. Edrychais trwy'r ffenestri ar annibendod yr ardd – dydw i ddim yn arddwr – a phenderfynais mai gwaith corfforol oedd yr ateb. Gwisgais hen bâr o esgidiau hoelion mawr – roedd Menna'n meddwl eu bod yn cyfoesi â'r harnais ceffyl ar wal yr ystafell fyw – a hen bâr o fenig, ac es allan i'r cwt i chwilio am y bilwg a gefais yn anrheg werthfawr ac urddasol gan fy nhad pan welodd o'r ardd y tro cyntaf.

'Yli, mae gin i'r feri peth i ti. Hen job fydd clirio hon, ond mae gin i'r feri peth.'

Cefais afael ar y bilwg ac allan â mi i ganol y brwgaets. Wrth chwifio'n anghelfydd o'm cwmpas, ergyd yma ac ergyd acw'n ddigon diamcan, dechreuais chwysu. Cyn bo hir roeddwn i wedi lluchio'r menig a'r gôt anarferol ac yn dechrau mwynhau fy hun yn fawr ynghanol y tyfiant marw y byddai garddwr go iawn wedi ei dorri a'i losgi ers misoedd. Ond roedd hi'n anodd. Fe ddaeth Sal i mewn trwy'r giât heb i mi sylwi, ac mae'n siŵr y bu hi'n sefyll wrth ymyl y coed afalau am amser yn fy ngwylio cyn gweiddi allan o'r diwedd:

'Smai! Wyt ti'n chwilio am rywbeth?'

'O! Smai. Meddwl ei bod hi'n amser clirio rhywfaint . . .'

'Beth ddwedodd y doctor? OK? Popeth yn OK?'

'M-hm.'

Roedd Sal yn gwybod, wrth reswm, fy mod wedi gweld y meddyg fwy nag unwaith yn ystod yr wythnosau diwethaf. Ond fel

contribute reports on rugby matches fairly regularly to radio programmes in Welsh and English, and very occasionally, when people like Carwyn James are down with flu, or away on some more important assignment, I'm allowed to belong to those heavy panels, full of divine authority, that discuss the Welsh team on television before the big games, during the big games, and after the big games. In a word, I'm on the margin of that chosen elite of rugby camp-followers that has so suddenly mushroomed in Wales, in the wake of our latest Golden Age. There's a letter on my desk now asking me to write a piece for the Welsh-language monthly, *Barn*, on next Saturday's match, and another letter reminding me of a promise I made to write a piece about my own experiences on the field for some other magazine. But I couldn't begin to think of sitting down at my desk and using my brain. I looked out of the window at the garden-jungle, and decided that physical activity was the only answer. I put on an old pair of boots, my little-used garden gloves, and went out to scrabble in the shed for the billhook I had received ceremonially from my father when he first set eyes on my garden.

'Look, I've got the very thing. It'll be a bit of a job, clearing this. But I've got just the thing.'

I got hold of the billhook and waded out into the undergrowth. As I swung unskillfully about, a blow here and a blow there, without any particular pattern, I began to sweat. Before long, I'd thrown away the gloves and the unaccustomed coat and started to enjoy myself among the dead remains of summer that any proper gardener would have disposed of long ago. But it was all so difficult. Sal came in through the gate without my noticing, and she must have been standing there for quite some time beneath the apple trees, watching me, before she called out.

'Hi! Looking for something?'

'Oh. Hello. Thought it was time to do a bit . . .'

'What did the doctor say? OK? Everything OK?'

'M-hm.'

Sal knew, of course, that I'd been to see the doctor more than once during recent weeks. But as the reports grew more serious, I had told her less and less. It was easy to talk about muscle problems,

y gwaethygodd yr adroddiadau, dywedais innau lai a llai wrthi. Roedd yn hawdd sôn am drafferthion cyhyrol, effaith hen glwyfau rygbi. Ond y tu mewn i mi roedd plentyn bach yn mynnu rhedeg ati, rhoi ei freichiau amdani, dweud yr holl hen stori wrthi, chwilio am gysur a chynhesrwydd, chwilio am unrhyw un a allai ddweud nad oedd y stori ddim yn wir. Y tu mewn yr oedd hwnnw. Y tu allan troais a chwifiais law ffug-flinedig arni.

'Whew! Mae 'na frwgaets yma.'

'Mmm. Mae o yna ers amser, ti'n gwbod. Dŷn ni ddim yn ei symud e'n aml iawn, yn nad ŷn ni?'

Dawnsiodd i mewn i'r tŷ i wneud te, yn ifanc iawn ei ffordd.

Yr hyn a ddenodd Sal a minnau at ein gilydd yn y lle cyntaf, i fod yn hollol blaen, oedd chwant cnawdol, a dim byd arall. Fel mater o ffaith, dydy Sal ddim yn chwarae na hoci na thenis, a cherddoriaeth y mae hi'n ei ddysgu, nid Addysg Gorfforol. Ond o edrych arni, gallech feddwl ei bod hi'r math o ferch sy'n dal i lamu ar draws y caeau ar ôl pêl fechan galed, a hithau bellach yn bymtheg ar hugain oed. Y teip athletaidd, gwallt golau, cryf ei chyhyrau sy'n ymddangos mewn hysbysebion teledu awyr-agored, dyna ydy Sal. Pan welais hi gyntaf, ar y lein yn cefnogi'n groch a minnau'n chwarae rygbi i'r coleg yn Aber, fedrwn i ddim tynnu fy llygaid oddi arni. Roedd hithau, diolch i'r nefoedd, yn teimlo 'run fath. Roedd hi wedi fy ngweld dros y byrddau yn y bariau a'r bariau coffi o'r cychwyn, ac wedi holi a chynllunio ei ffordd yn raddol i'r cae rygbi. Pan safasom ni ym mreichiau ein gilydd y tu allan i'w neuadd breswyl am y tro cyntaf fe deimlais nerth y sialens gorfforol oedd yn llechu ynddi, caledi ymosodol ei haelodau dan lyfnder y croen. A'i huniongyrchedd. A'i hoffter hithau o'r frwydr gorfforol sy'n fwyd a diod rhywiol i rai o'n teip ni. Teimlais ei dwylo'n rhedeg i lawr fy nghoesau, ei bysedd yn gwerthfawrogi hyd a thyndra'r cyhyrau ardderchog sy'n ymestyn y tu ôl i'r morddwydydd. Doeddem ni ddim yn cusanu llawer, y noson gyntaf honno. Dim ond cau ein llygaid ac ymgolli yn ffurf a balchder ein cyrff. Ymgolli'n llawen. Fel dringwyr wedi darganfod clogwyni yr oedd yn rhaid eu concro, ac yn archwilio'u hyd a'u lled a'u defnydd gyda manylder cariadus. Ond heb anghofio fod brwydr a sialens yn gorwedd islaw'r tynerwch, yn gorwedd yn agos iawn i'w wyneb.

Gwaith dyrys ac anghysurus, mewn gwirionedd, oedd caru colegol yn y cyfnod hwnnw. Rwy'n cofio bwrw llygaid, y flwyddyn

the effect of old rugby injuries. Somewhere inside me, a frightened child was wanting to run to her, put his arms about her, tell her the whole thing, look for comfort and warmth. But he was locked inside. Outside, I turned and waved a mock-tired hand at her.

'Whew. It's a shambles.'

'Mmm. It's been there quite a long time. It must wonder why it's being disturbed.'

She turned and skipped into the house to prepare the tea. She was very young, in many ways.

The thing that attracted Sal and I to each other in the first place was sex, and that's all there is to it. As a matter of fact, Sal doesn't play hockey or tennis, and she teaches music, not Physical Education. But to look at her, you'd think she was the kind of woman who, at thirty-five, still spent her Saturday afternoons loping over green fields with a hockey stick in her hands. The athletic type, blonde, strong, the type that stars in cornflakes adverts, that's Sal. When I saw her first, bellowing her lungs out on the touchline when I was playing rugby at Aber, I couldn't take my eyes off her. She, thank God, felt just the same. She'd seen me across the tables in the bars and coffee bars long since, and had questioned and plotted her way gradually to the rugby field. When we stood in each other's arms outside her hostel the first time, I felt the strength of the physical challenge that lurked inside her, the hard fitness of her limbs beneath the smooth skin. And her directness. And her own liking for the physical duel that sex always is for our kind of person. I felt her hands running down my legs, her fingers appreciating the length and tightness of the beautiful long muscles that stretch along the thighs. We didn't kiss very much, that first night. We just closed our eyes and luxuriated in the smoothness and fitness of our bodies. Like climbers who have discovered rock faces they must climb, and who examine their length and breadth and their texture in loving detail. But without forgetting that the challenge of battle lies beneath, hovers very close to the surface.

Making college love was, in those days, to tell the truth, rather a frustrating and uncomfortable business. I remember the previous year fancying another muscular girl, one who played hockey for Wales. Unfortunately, she was a student at St Mary's College in

16

flaenorol, ar ferch gyhyrog arall oedd yn chwarae hoci i Gymru. Yn anffodus roedd hi'n fyfyriwr yng Ngholeg y Santes Fair ym Mangor. Teliffonio'n ddyheugar-boeth trwy'r wythnos, yna trafaelio i Fangor nos Sadwrn mewn car dychrynllyd o fregus – eiddo rhywun neu'i gilydd oedd yn ddigon gwirion i roi ei fenthyg am ystyriaeth ariannol.

Gwasgu a gwthio yn erbyn ein gilydd am rai munudau yn y car ar ôl dilyn y ddefod ddwl o fynychu seddau ôl y Plaza, ac wedyn, am y munudau olaf cyn yr awr ofnadwy pryd yr oedd Miss – wel, y brifathrawes – yn mynnu fod yn rhaid i'r merched fod i mewn dan glo er mwyn sicrhau eu gwyryfdod, ymuno â'r rhes anhygoel o barau brith oedd yn pwyso yn y cysgodion yn erbyn waliau'r coleg. Darganfod wedyn fod un rhan o'r adeilad – Y Stablau – lle gellid dringo i mewn trwy geuddrws yn llawr y llofft. Roedd y drws yn agor yn union uwchben un o'r pyrth o'r cyntedd i'r adeilad ei hun, ac fe ellid codi merch i mewn yn ddiogel i'r Stablau yn oriau mân y bore trwy berswadio ei ffrindiau i ollwng ysgol i lawr trwy'r twll ar alwad arbennig. Ac i mewn â hi o'r golwg. Roedd e'n gyfnod, mewn gair, pryd yr oedd angen i hogyn a hogan oedd yn ffansïo'i gilydd ddefnyddio pob math o ystryw a chlyfrwch cynllwyn, a goddef pob math o anghysur a blinder, gorff ac enaid, er mwyn ennill y cyswllt corfforol hwnnw yr oedd y ddau'n dyheu amdano. Doedd hi ddim mor arferol chwaith i ddau gariad foddio ei gilydd ar unwaith trwy gyfathrach rywiol ag ydy hi erbyn hyn. Roeddem ni wedi cael ein cyflyru'n gryf yn erbyn y weithred. Roedd hi'n gyfnod pryd yr oedd cenhedlaeth ein rhieni'n dal i ddrwgdybio rhywioledd yn fawr, ac yn dal i gredu, am wn i, fod rhyw yn un o arfau dymunol ond damniol y diafol. Doedd hynny, wrth gwrs, fel gyda'r Ddiod a phethau eraill dychrynllyd iawn, ddim yn eu hatal hwy rhag cael pleser cudd yn y busnes. Ond roedden nhw'n oedolion call a chyfrifol, ac roedden nhw'n deall sut i bechu'n gymedrol heb lithro bendramwnwgl i golledigaeth lwyr. Roedd yn rhaid amddiffyn yr ifainc rhag y Dafarn a'r Gwely fel ei gilydd, a cheisio sicrhau nad oedden nhw ddim yn ymhél yn ormodol â'r naill na'r llall cyn cyrraedd oed rheswm a synnwyr.

Ac felly, gan nad oedd hi'n gwbl gyffredin yn ein grŵp ni, roeddem ni'n teimlo'n ddewr, yn ffôl ac yn anturus, pan fentrasom ni gyntaf i'r dyfroedd dyfnion. Fe fentrasom ni'n go fuan, mae'n rhaid cyfaddef. Nid heb bangfeydd dychrynllyd o gydwybod, o'm rhan i ond, yn anochel, yn fynegiant nerthol o'r frwydr gorfforol

Bangor. So we telephoned in hot longing all week, then I would travel up to Bangor on Saturday evening after the match in a car that was never roadworthy – always the property of someone who owed me what was laughingly thought of as a favour. We squeezed and pressed against each other for a while in the back seat of the car after fulfilling the groping ritual of lovemaking in the back seats of the Plaza. And then, for the last few minutes before the stroke of doom when Miss – well, the Principal – insisted that the girls had to be indoors under lock and key in order to ensure their virginity, we joined the assorted line of lovers, pressed up against the grey walls of the college in the panting shadows. Later, we discovered that there was one part of the building – 'The Stables' – where the girls could climb in through a trapdoor in the dormitory floor. The trapdoor opened immediately above one of the gateways from the outer quadrangle into the building itself, and you could easily get a girl into the Stables in the early hours by persuading her friends to lower a ladder down through the trapdoor at a prearranged signal. And in she went out of sight. It was a time, in other words, when a boy and a girl who fancied each other had to employ all kinds of stratagems, and endure all manner of frustration and discomfort, body and soul, in order to achieve the physical contact that both of them yearned for. It wasn't as customary either for two lovers to engage as rapidly in sexual intercourse as it is nowadays. Most of us had been pretty forcibly conditioned against it. It was a time when my parents' generation still deeply distrusted sexuality, and still believed, I suppose, that sex, at least outside marriage, was one of the devil's pleasant but mortal weapons. That, of course, didn't stop them enjoying it themselves, however secretively. But then they were rational and responsible adults, and they had learnt how to sin in moderation without hurtling pell-mell into irredeemable damnation. It was necessary to defend the young from the Pub and the Bed, and to try to ensure that they didn't learn too much about either until their blood had begun to cool a little.

And so, as it wasn't quite universal in our circle, we felt pretty brave, foolhardy and adventurous, when we first ventured into those deep, mysterious waters. We ventured fairly soon, it must be admitted; not without dreadful pangs of conscience, on my part, but inevitably, a joyful acceptance of that physical battle that flared up

oedd yn tanio rhyngom bob tro yr oedd bys yn cyffwrdd â bys, penglin â phen-glin yn ddamweiniol mewn caffi neu fws. Rwy'n cofio'r tro cyntaf yn iawn, wrth gwrs. Wrth gwrs. Hwnnw, am wn i, oedd prif ddigwyddiad dyddiau coleg. Pwysicach na'r tro hwnnw y cefais fy newis yn eilydd i Gymru ar yr asgell a minnau o hyd yn fyfyriwr. Pwysicach, wrth reswm, nag ennill gradd. Roedd pethau clogyrnaidd fel ennill gradd yn digwydd i bawb. Doedd chwarae i Gymru ddim yn digwydd i bawb, mae'n wir. Ond doedd gwneud y pethau hyfryd hyn hefo Sal ddim ond yn digwydd i mi. I'm corff i. I mi.

Y noson cyn i ni fentro 'yr holl ffordd' roedd pethau eisoes wedi mynd yn ddigon pell. Roedd hi'n noson o wanwyn. Fel mater o ffaith mae'r pethau yma'n debycach o lawer o ddigwydd yn nhywyllwch nosweithiau hirion y gaeaf, ond noson o wanwyn oedd hi. Roeddwn i wedi bod yn hyfforddi hefo tîm y coleg ar gyfer gornest saith bob ochr – roeddwn i'n chwarae rygbi'n grefyddolreolaidd yn y cyfnod hwnnw – ac wedyn fe gymersom ni fws ar drawiad allan i gyfeiriad Ynys-las, ac wedyn cerdded y twyni rhwng Ynys-las a'r Borth, hyd nes yr oedd fy mharodrwydd i, hyd yn oed, i fod yn brysur, ac i fyw ac i ymarfer ac i deimlo fy nerth, wedi cael digon am y tro. Suddodd y ddau ohonom i bant yn y twyni a disgyn yn flinedig i freichiau'n gilydd. Roeddem ni fel arfer yn hunanymwybodol dan y fath amgylchiadau, yn swil iawn, mewn gwirionedd. Fe ddywedais eisoes mai cenhedlaeth felly oeddem ni. A phe baem ni heb fod mor lluddedig, mae'n siŵr y byddem ni wedi eistedd ar wahân am amser cyn cyffwrdd â'n gilydd, gan ffug-gynnal ffug-sgwrs, a sugno gwellt, ac ystwyrian yn annifyr, a llygadu'n gilydd yn llechwraidd, a gwneud pob ystum addas a phriodol i ddau gariad, cyn lled-ufuddhau o'r diwedd, yn aml yn anystwyth ac anghelfydd, i'r greddfau oedd yn ein tynnu ni at ein gilydd.

Ond y noson honno, roeddem ni wedi blino; llithrodd y naill i freichiau'r llall heb feddwl, mewn lludded, yn braf, heb ymdeimlad nac o euogrwydd nac o ansicrwydd. Ac am rai munudau dyna lle buom ni'n gorwedd. Roedd yr haul yn machlud yn llachar fel y gwna mor aml ar arfordir Ceredigion, a'i gynhesrwydd yn treiddio i mewn i'n cuddfan ninnau. Mae'n debyg i ni syrthio i gysgu ym mreichiau'n gilydd. Deffrois i deimlo llaw Sal yn gafael yn llac ond

19

between us every time fingertip met fingertip, or knee touched knee accidentally in a cafe or on a bus. I remember the first time very clearly, of course. Of course. That, I suppose, was one of the main events of my university life. Certainly more important than the time I was selected as a reserve for Wales while I was still an undergraduate. More important, obviously, than getting my degree. Things like degrees happened to everybody. Playing for Wales didn't fall to everyone's lot, that was true. But these dark things that happened between me and Sal only belonged to me. To my body. To me.

The night before we went 'all the way', as they said then, things had already gone far enough. It was a spring night. As a matter of fact, these things are much more likely to happen during dark winter evenings when you are searching desperately for somewhere to go and when you find it, you just don't know what you are doing any more. Still, it was a spring night. I had been training with the college team, preparing for a seven-a-side tournament – I used to play rugby with single-minded devotion in those days – and then we took a bus on impulse in the direction of Ynyslas, and walked the sand-dunes between Ynyslas and Borth, until even my urge to walk, to move, to be physically active and mobile, had been temporarily satisfied. We both collapsed into a dip in the dunes and rolled wearily into each other's arms. We were usually self-conscious on these occasions, very shy and innocent, to tell the truth. And if we hadn't been so tired, we would probably have sat uncomfortably apart for a while before finally touching each other, conducting a ritualistic mock conversation, sucking straws, eyeing each other surreptitiously, before responding awkwardly to the instincts that thrust us together.

But that night we were tired. We slipped into each other's arms without thinking, in superb relaxation, confidently. And for some minutes, there we lay. The sun was setting spectacularly, as it so often does off the coast of Cardiganshire, and its late warmth, mingled with the sharpness of evening, played over our hiding place. I think we fell asleep in each other's arms. I woke up to feel Sal's hand lightly but entirely consciously caressing my sexual parts. I opened my eyes with a genuine sense of shock; Sal's eyes were wide open, and she was looking calmly and soberly into mine.

yn gwbl ymwybodol yn f'aelodau rhywiol. Agorais fy llygaid gydag ymdeimlad gwirioneddol o sioc. Roedd llygaid Sal yn llydan agored, ac roedd hi'n edrych yn dawel ac yn sobor ym myw fy llygaid innau. Llyncais yn araf, a theimlais, am y tro cyntaf, yn fy niniweidrwydd, mor gyflym y gallwn chwyddo a chaledu mewn ymateb i gyffyrddiad llaw. Gafaelais yn ffyrnig yn ei chluniau a'm gwthio fy hun arni. Ymatebodd hithau y tu hwnt i bob profiad cysgodol ac anfentrus a gefais i o'r blaen. Roedd ei ffyrnigrwydd, a nerth ei chorff ac eiddgarwch a dyhead llwyr, ei gafael amdanaf, yn brofiad newydd sbon. Doedd ein profiad ni y noson honno ddim yn perthyn i'r un byd â chusanau trwsgwl, anfoddog, mecanyddol y Santes Fair. Doedd e ddim yn perthyn chwaith i'r un byd â'n caru cynnil, ymataliol ni cyn hynny. Roedd hwnnw'n llawn prydferthwch a gofal, yn llawn darganfyddiadau bychain, gwerthfawr. Ac wrth edrych yn ôl ar y caru cyntaf hwnnw, y cyffyrddiadau petrus, y cydio llygaid, y wên gyfrinachol yn ateb gwên ar draws ystafell, a chael boddhad llwyr y foment honno mewn dim byd mwy cnawdol na'i hedrychiad atebol hithau, mae'r cof am y diniweidrwydd yn drydanol hyd at ddagrau erbyn hyn. Ond y noson honno roeddem ni wedi torri trwodd i ddimensiwn arall. Roeddem ni'n hwylio mewn storm, yng ngafael elfennau y tu hwnt i'r ddau ohonom. Pan ddaeth yr uchafbwynt, wrth gwrs, a'r llacio, a minnau'n anwybodus letchwith, gallwn deimlo ei breichiau hithau'n llacio hefyd. Yn llacio mewn siom. Symudais oddi arni ar unwaith. Ceisiais guddio f'anghysur. Daeth ton erchyll o euogrwydd drosof. Codais, es i guddio i'r pantle nesaf. Tynnais fy nillad yn wyllt a rhedais yn noeth trwy'r gwyll tyner i'r môr. Nofio allan yn ddig. Nofio trwy'r dŵr glân. Troi ar fy nghefn wedyn a gadael i donnau'r llanw fy ngharioʼn araf tua'r traeth. Erbyn i mi ymdawelu, wrth gwrs, a dechrau nofio tua'r lan, yn oer ac yn hollol wag o unrhyw deimlad rhywiol, roedd y sefyllfa'n ymddangos yn ddwl a ffôl. Y peth diwethaf yr oeddwn i am ei wneud bellach oedd cerdded yn noeth i fyny'r traeth yng ngŵydd Sal. Chwiliais amdani yn y gwyll wrth nofio i mewn, ond doedd dim golwg ohoni. Rhedais i fyny'r traeth ar flaenau fy nhraed, yn ddistaw, yn dal f'anadl, a'm calon yn curo, i gyfeiriad fy nillad. Unwaith yr oeddwn wedi bustachu'n wlyb ac annifyr i mewn iddyn nhw, daeth Sal yn dawel heibio i'r twyn agosaf. Daeth ataf a gafael yn fy nwylo.

'Mae'n ol-reit,' meddai, yn edrych, yn agored ac yn llawn deall, i'm llygaid. 'Mae'n ol-reit. Rwy'n dy garu di.'

I swallowed slowly and felt, for the first time, in my innocence, how quickly I could swell and harden in response to a hand's touch. I grasped her thighs fiercely and thrust myself upon her. She responded with a passion far beyond anything my previous tentative episodes had shown me. Her ferocity, her strength, and the unrestrained eagerness of her desire for me were all entirely new in their intensity. Our experience that night did not belong in the same world as the awkward, mechanical kisses at St Mary's. It didn't belong to the same world either as our own previous gentle probings. That had been full of care and sweetness, full of small, valuable discoveries. Looking back at those first encounters, the hesitant contact, the warmth in each other's eyes, the half-smile answering a half-smile across a peopled space, the memory of such towering innocence moves me to tears. But that night we had broken through into another dimension. We were afloat in a raging storm, in the grip of elements far beyond our control. When the climax came, of course, and the sudden emptiness, I released her at once, and felt her arms slacken too. Slacken in disappointment. I moved away from her abruptly. A great wave of guilt, even revulsion, swept over me. I got up, and actually went off to hide in another nearby hollow. I tore off my clothes wildly and ran off through the warm dark towards the sea. I swam out angrily. Swam through the clean water. Then finally I turned over on my back and let the powerful tide carry me back gradually to the shore. By the time I had done all this, of course, and started to swim the last few strokes in to the beach, devoid of any sexual feeling at all, the whole thing seemed stupid and foolish. The last thing I wanted to do now was walk naked up the beach in Sal's presence, darkness or not. I tried to pick her out among the light and dark shadows of the beach and dune and sky. But there was no sign of her. I ran up the beach lightly, silently, holding my breath, my heart beating loudly, towards my pile of clothes. Once I had struggled, wet and cold, into them, Sal came quietly over the nearest rise, silhouetted against the sky. She scuffed and trotted her way to me and held my hands.

'It's all right,' she said, looking into my eyes. 'It's all right. I love you, John.'

Gafaelais ynddi'n dawel. Mae'n debyg nad oedd hi ddim wedi sylweddoli dyfnder fy niniweidrwydd. Roedd pawb yn meddwl, mae'n debyg, fod bois y tîm rygbi, oherwydd gwrywaeth ein gêm, yn llawn profiad rhywiol. Roedd hynny'n bell iawn o'r gwirionedd. Ond yn y foment honno o garedigrwydd a deall y syrthiais i mewn cariad â Sal. Doedd hi ddim wedi ffieiddio wrthyf. Doedd hi ddim yn chwerthin am fy mhen. Roeddem ni wedi mynd trwy'r peryglon ac roedd hi'n fy ngharu. Ar ôl y noson honno theimlais i fyth wedyn unrhyw lun o annifyrrwch nac euogrwydd yn ein perthynas rywiol. A'r noson wedyn roedd y ddau ohonom yn gwybod rywsut beth oedd am ddigwydd, a sut y digwyddai. Roedd y telepathi hyfryd hwnnw sy'n rhan mor gyffredin o berthynas ddofn eisoes wedi dechrau gweithio. Roedd yn rhaid wrth gyfathrach rywiol gyflawn ac agored i ysgubo pob ofn i ffwrdd yn derfynol. Yn y cyfnod hwnnw, fel y dywedais, roedd diniweidrwydd o hyd yn rhan o'n meddylfryd. Doeddem ni ddim yn cario offer atal cenhedlu yn ein pocedi. Mae'n swnio'n anhygoel i genhedlaeth brofiadol y saithdegau, ond fyddem ni ddim wedi gwybod y pryd hwnnw sut i ddefnyddio'r fath beth. Fel mater o ffaith feddyliais i ddim am wneud unrhyw ymdrech i'r cyfeiriad. Yn fyr, feddyliais i ddim. Aeth y ddau ohonom yn ôl, y noson wedyn, wedi treulio'r dydd yn siarad yn ddieiriau â'n gilydd rhwng darlithoedd, a thros rhyw lun o ginio, i'r twyni yn Ynys-las. Mae'n nodweddiadol hefyd o'n diniweidrwydd yn y cyn-oesoedd hynny nad oeddem ni ddim wedi meddwl peidio â mynd i'n darlithoedd yn ystod y dydd. Disgwyliasom, fel caethweision, am y caniatâd swyddogol i fod yn rhydd, ac yna, law yn llaw, fel unrhyw gwpl mewn stori ramantaidd, i'r bws ac ar hyd y ffordd trwy Rydypennau i'r Borth ac Ynys-las. Rwy'n cofio pob milltir o'r daith honno, a'r cyffyrddiad poeth, ysgwydd wrth ysgwydd, clun wrth glun, ymron yn annioddefol. Wedi disgyn o'r bws cerdded yn gyflym a wnaethom, rwy'n cofio, i gyfeiriad y twyni. Nid rhedeg yn ffri a llawn miri. Nid cerdded yn dyner ym mreichiau ein gilydd. Ond cerdded yn gyflym, bwrpasol, hollol fud. Roedd angen cyrraedd y lle. A doedd dim oedi i fod. A dim byd i wyrdroi ein bwriad. Wedi cyrraedd, tynnu ein dillad i gyd yn wyllt wyllt, ac yna edrych yn hollol ddigywilydd. A sefyll wedyn yn hir, yn noeth ym mreichiau ein gilydd, yn ymdeimlo'n atgyrchol ag anghenion y naill a'r llall. A hyd yn oed yn y dyddiau confensiynol hynny, fe fuom ni ar y

I held her gently. I don't suppose she had realised the extent of my inexperience. Everyone thought that the rugby lads, by instant association with the virility of the game, were vastly experienced sexually, as in other masculine matters like the downing of many pints. That was by no means true. And it was in that moment of cool kindness that I fell in love with Sal. She wasn't laughing at me. We had come through dangers, and she loved me. After that night I never again felt any kind of discomfort or awkwardness or guilt in our sexual relationship. And the next night we both knew already how things were going to happen and how to respond to them. That marvellous telepathy that binds close relationships more closely had already begun to work. We had to possess each other consciously and totally so that we could banish all our fears for ever. At that time, as I have said, our sexual naivety was considerable. We didn't carry contraceptives in our pockets. I must admit that I never even thought of making any effort in that direction. In short, I never thought. So the two of us went back, the following night, after spending the day communicating unbearably with each other in the intervals between lectures, and over an uneaten lunch, touching, looking, afraid to break the spell, still, sober, utterly unaware of others or of the material environment. We went back as soon as we could to Ynys-las. I suppose it was also typical of a more authoritarian age that we didn't just abandon lectures that day altogether. We waited, like captives, for the accepted time when lovers could be free, and then, hand in hand, like any traditional romantic couple, boarded the bus and bumped and twisted our way through Rhydypennau and Borth to Ynys-las. I remember every mile of that journey, and the warm current of contact, shoulder, arm and thigh, pressed together all the way, so that we shouldn't run the slightest risk of separation. After the bus stopped, we walked quickly, I remember, towards the dunes. We didn't run, laughing and shouting. We didn't walk slowly, lovingly, arms around each other. We walked quickly, purposefully, silently. It was necessary to arrive. There was to be no loitering. And no irrelevant distractions. When we got to our hollow, we took off all our clothes roughly, wildly, and looked at each other quite shamelessly. And then stood for a long time, naked in each other's arms, sensing the huge complexity of human need, without articulating it in any other way than in the long sweep of sure and unwavering contact. We spent

twyni trwy'r nos, yn dod i adnabod ein gilydd yn y corff mewn modd plentynnaidd naturiol.

Chwant cnawdol, fel y dywedais, a'n denodd at ein gilydd. Fe fuom ni'n ffodus tu hwnt i bob gobaith rhesymol yn y modd y tyfodd ein chwant yn gariad. Gallai fod fel arall. Ond fues i ddim mewn gwir angen am ferch arall yn y deunaw mlynedd wedi hynny.

'Wyt ti eisie te?'

Safai'n llonydd wrth ymyl y drws, ei phwysau ar un goes, a'i phen ar un ochr. Mae hi'n edrych yn hŷn, wrth gwrs, ond dydy'r fflach a'r ffrwydro ddim wedi marw. Mae e'n dal i fudlosgi heb fod ymhell o'r wyneb, ac mae'r storm, pan ddaw, yr un mor ddilywodraeth gref.

Wedyn fe ddaeth y bechgyn adref. Siôn o'r ysgol uwchradd yn llawn ystumiau bachgennaidd. Lluchio ei hunan yn ogystal â'i bethau o gwmpas y lle. Ymateb yn swnllyd ac yn amlwg i bob ymgais i ddynesu ato. Pentwr tywyll aflêr o allblygedd ymosodol. Fi i'r byw, meddai ei fam. Fe ddaeth Siôn ac fe aeth. I chwarae rygbi, wrth reswm. I ymarfer ei rygbi, yn hytrach. Roedd hi'n rheidrwydd arnaf fod ar y lein pan fyddai gêm go iawn ymlaen. A rhoddodd Menna ei phen i mewn am eiliad cyn cydio yn ei ffidil ac i ffwrdd i chwarae gyda cherddorfa'r ysgol. Ond fe ddaeth Llŷr ac fe arhosodd. Mae Llŷr yn wahanol. Fe fydd yn naw oed ymhen mis; wyddom ni ddim, i fod yn onest, o ble daeth o. Rhywsut, mae rhagluniaeth wedi lluchio at ei gilydd gyfuniad dieithr hollol o ryw ddyheadau isymwybodol annisgwyl sy'n perthyn i'r ddau ohonom ni a'u gwneud nhw'n un person. Er mai athrawes cerdd ydy Sal, eto mae hi'n fath o athrawes gerdd sy'n arwain côr fel pe bai'n hyfforddi tîm hoci. Gweithgarwch ydy cerddoriaeth iddi. Mae ymchwydd côr yn debyg i ymchwydd corff yn y weithred rywiol – yn gynnwrf, yn gydweithrediad, ar ei orau yn orchest dechnegol. Ac amdanaf i, pethau'r corff fu fy musnes i ers llawer blwyddyn. Ffitrwydd cyhyrau cytbwys-ddatblygedig, gosgeiddrwydd corfforol, nerth corfforol, dewrder wrth osod sawl math o sialens i'r corff. Pethau'r corff. Pethau prydferth weithiau, pethau uniongyrchol iawn, pethau anghynnil yn aml. Ond pethau cwbl weladwy, yn perthyn yn llwyr i arwynebedd bywyd, pethau hollol faterol bob amser. Ac o rywle fe ddaeth cynildeb hwn; gwreiddioldeb, ysgafnder hwn. Y Plant Aur, meddai Platon. Mae Llŷr yn un

the night on the dunes, tirelessly exploring each other's bodies over and over and gaining perhaps, at some calm moments during that starlit night, a greater and deeper innocence than we had ever known. It was sexual attraction, as I said, that drew Sal and I together. Pure lust, you might say. We were incredibly fortunate in the way our lust became love. It could have been different. But I have never been in any real need of any other woman in the eighteen years since then.

'Do you want some tea?'

She stood still by the doorway, her weight on one leg, her head cocked sideways. She looks older, obviously, but the fire and the capacity to explode in your face haven't died. She still smoulders below the surface, and the sheet of flame, when it shoots out, is just as ungovernable.

Then the boys came home. Siôn from the comprehensive, full of male display. Throwing himself as well as his things all over the place. Reacting noisily and obviously, melodramatically, to every human approach. A dark, awkward lump of extrovert aggression. Me all over, his mother says. Siôn came and went. To play rugby, naturally. To train rather. I always had to be on the touchline when an actual match took place. And Menna poked her head in for a moment before grabbing her fiddle and off to the orchestra practice. But Llŷr came and stayed. Llŷr is different. He will be nine years old in a month's time; we can't make out, to be quite honest, where he came from. Somehow, providence has thrown together this peculiar mixture of genes well hidden in both of us and made of them a human being. Although Sal teaches music, nevertheless she is the kind of music teacher who conducts a choir as though she was coaching a hockey team. Music is a physical activity for her. The rising tide of a choir's sound is like the rising tide of physical passion in lovemaking – an excitement, a co-operative tension, at its best a technical achievement of great beauty and strength. As for me, physical things have been my business for many years. The fitness of muscles developed in a balanced way, physical grace, physical strength, the bravery involved in mastering physical challenge. Physical things. Beautiful things sometimes, but always direct, straightforward, tangible things, things that belong to the surface of life, material above all. And yet this delicate subtlety came from somewhere. The *Golden*

ohonyn nhw. I ddechrau roeddwn i'n ofni amdano yn yr ysgol. Doedd dim angen. Mae o'r math o greadur gwahanol sy'n dderbyniol gan bawb. Nid y teip pell, mewnddrychol, cocyn hitio i bob plentyn o'i oed, ond y math sy'n creu byd o freuddwydion i eraill rywsut, yn gwbl ddiymdrech. Ar ôl te eisteddodd mewn cornel i ddarllen. Ond bob hyn a hyn fe ddeuai ataf, nid i ofyn cwestiwn ynglŷn â'r llyfr, ond i ailadrodd rhyw syniad oedd newydd ddod i'w ben. Cerdded yn ôl i'w sedd wedyn, dan chwerthin yn dawel wrtho'i hun. Mae o bob amser yn mwynhau ei syniadau ei hun yn rhagorol; mae'n chwerthin llawn cymaint yr ugeinfed tro ag y gwna'r tro cyntaf. Yn aml iawn dydy pobol eraill ddim yn deall y syniadau o gwbl. Ar ôl te roedd Sal yn mynd allan i ymarfer côr, wrth lwc, a chafodd hi ddim amser i sylwi llawer arnaf i. Fe'i gwyliais, gyda'r sylwgarwch newydd sy'n nodweddu popeth heddiw, yn symud o gwmpas yr ystafell i gasglu ei phethau. Gwyliais unwaith yn rhagor osgo ei chefn a'i chluniau wrth bwyso dros gadair, fel pe na bawn i erioed wedi eu gweld o'r blaen. Gwyliais ei gwallt byr, trydanol, yn tonni, ysgwyd, dal y golau, fel y symudai o gwmpas. Gwyliais ei dwylo hirion yn byseddu'n frysiog trwy'r pentyrrau o lyfrau cerddoriaeth ar y piano. Edrychodd yn ôl arnaf unwaith, ond sylwodd hi ddim. Taflodd wên fer ar draws ei rhuthr ac allan â hi. Cafodd Llŷr a minnau sesiwn hir hefo'r sêr wedyn. Mae o newydd gael llyfr newydd am y sêr a'r gofod ac mae'r llyfr yn dangos sut i wneud telesgop gartref hefo tiwbiau o gardbord a dwy lens, un lens blaen ac un lens gydgyfeiriol. Mae rhywbeth bob amser ar goll pan fyddwn ni'n mynd ati hi i ymateb i ysgogiad mewn llyfr neu gylchgrawn. Glud oedd ar goll y tro hwn, a dyma roi ras wyllt yn y car i'r dref i ddal rhyw siop cyn amser cau. Gadewais y car mewn lle anghyfreithlon, ac er mai rhyw ddeng munud yn unig y buom ni yn y siop roedd ticed ar y ffenest erbyn i ni gyrraedd yn ôl. Fel arfer fe fydda i'n ymateb yn ffyrnig i'r fath anghyfiawnderau, mae'n rhaid cyfaddef. Pam fi? Mae'n rhaid fod y diawl yn disgwyl rownd y gornel i ddal rhywun. Pam na fedran nhw ddarganfod ffyrdd eraill o gasglu arian? Ac yn y blaen. Ond heddiw, ymysg holl ddigwyddiadau'r diwrnod pendramwnwgl, roedd y peth yn ddibwys. Dechreuais chwerthin yn fewnol wrth edrych arno. Tasgodd ffynnon o lawenydd dwl ynof yn rhywle. Fe fu ond y dim i mi gydio yn y ticed a'i luchio'n llawen i'r gwter, gan ddweud wrthyf fy hun,

Children, said Plato. Llŷr is one of them. To begin with, I used to be anxious about him in school. There was no need. He is the kind of exceptional creature who is nevertheless generally accepted. Not the distant, wandering soul who becomes everyone's Aunt Sally, but the type who can manufacture a world of dreams and fantasies for all those around him somehow, quite effortlessly. After tea, he curled himself up in a corner to read. But every now and again, he came over to me, not to ask anything, but to relay some new idea that had just entered his head. He jumped back into his nest then, chuckling quietly to himself. He always thoroughly enjoys his own ideas. He laughs just as much the twentieth time it comes to his mind as he did the first. Very often, no one else understands what he's getting at at all. After tea, Sal was going out to a choir practice, fortunately, and she didn't have time to register my state of mind. But I watched her, with the intensity that typifies every perception at the moment, moving about the room, gathering up her things. I watched once again the curve of her back and her thighs as she leant over a chair, as though I'd never seen that loveliness before. I watched her short, vibrant hair waving, flicking out into the air, catching the light as she turned away from the window. I watched her long hands fingering rapidly through the untidy piles of music manuscripts on the piano. She looked back at me once, vaguely conscious of my attention, but she didn't notice anything much. She threw me a quick smile, and out she went. Then Llŷr and I had a long session with the stars. He's just been given a book about space, and it tells you how to make a rudimentary telescope with cardboard tubes and two lenses, one plain lens and one convergent lens. There's always something missing when we get the urge to construct something. This time there wasn't any glue, so off we went into town in the car to catch the shops before they closed. I left the car on a yellow line, and although we were only away about ten minutes, there was a ticket on the windscreen when we got back. I usually respond violently to such things, I must admit. Why me? The bastard must have been waiting round the corner, just to make sure of booking someone. Why can't they find some other way of raising money? And so on. But today, among all the other events of this splintered, shattered day, it was unimportant. Even ridiculous. I started to laugh inside as I looked at the ticket. A perverse well of laughter welled up from somewhere. I very nearly

'Fydda i ddim yma i'w dalu fo!' Yna sobrais a'i osod yn fy mhoced gydag ymddangosiad o ddicter.

'Hmm,' meddwn, 'glud drud.'

Dechreuodd Llŷr chwerthin. Doedd e ddim wedi arfer fy ngweld yn ymateb mor ddidaro i anfadwaith y Wardeniaid Trafnidiaeth, ond roedd hud odlau bob amser yn ddigon i ddenu ei sylw oddi wrth unrhyw realiti difrif. Dechreuodd ganu cân odledig, a'i hailganu drosodd a throsodd yr holl ffordd adref. Ymunais innau yn y gân, ac i ffwrdd â ni i geisio gosod y telesgop wrth ei gilydd.

Pan ddaeth Sal adref gwnes esgus ar drawiad fod yn rhaid mynd allan i weld rhywun ynglŷn â rhaglen chwaraeon ar y radio. Fedrwn i ddim ei hwynebu hi o gwbl. Cydiais yn yr hen anorac, ac allan â mi i'r nos. Eisteddais yn y car yn y garej am funud neu ddau cyn cychwyn y peiriant. Yna gyrrais yn wyllt trwy'r strydoedd distaw, ac allan i gyfeiriad Mynydd Caerffili. Ond doedd dim modd aros yn y fan honno; roedd olion gweithwyr ffyrdd ym mhobman. Gyrrais ymlaen trwy Gaerffili, ac ymlaen ac ymlaen gan droi yn Ystrad Mynach i gyfeiriad Aberpennar a Merthyr. Roedd hi'n noson braf, y lleuad yn felyn a'r sêr yn glir. Doedd dim byd i'w wneud rywsut ond gyrru. Roedd y broses o yrru car yn defnyddio'r corff, yn tynnu sylw'r meddwl i ryw raddau, yn creu'r ffantasi fod popeth yn normal a'r byd heb wegian oddi ar ei echel. Cyrhaeddais frig y Bannau o'r diwedd ac aros yn y fan honno i edrych allan ar yr ehangder ardderchog yn ymestyn i gyfeiriad Aberhonddu. Roeddwn i wedi dweud celwydd di-alw-amdano wrth Sal am y tro cyntaf ers blynyddoedd. Mae'n amhosibl, wrth gwrs, i unrhyw berthynas gael ei hadeiladu ar onestrwydd llwyr. Mae llawer peth ynghudd yn nyfroedd y bersonoliaeth na ellir fyth ei ddatgelu i neb. Pethau dibwys weithiau, mân gywilyddion nad ydym ni ddim yn fodlon hyd yn oed i'r sawl sy'n rhannu gwybodaethau am ddyheadau a gwendidau a ffolinebau ein cyrff wybod amdanynt. Ond mae modd byw heb gelwyddau ffurfiol, confensiynol. Mae Sal a minnau wedi ceisio byw felly. Yn awr mae'n rhaid aros, meddwl, pwyso'r naill ddrwg yn erbyn y llall. Wrth eistedd yn y car ac edrych allan ar y wlad yng ngolau'r lleuad, mae hi o hyd yn amhosibl credu ym modolaeth y peth y tu mewn i mi. Credu fod y diwedd yn anochel. Nad oes dim byd y gellir ei wneud. Mae'n rhaid fod y meddyg wedi gwneud camgymeriad. Mae'n rhaid fod modd cael gwared â'r peth. Wedi'r cyfan, dydw i ddim yn sâl.

grabbed it and flung it into the gutter, shouting, 'I won't be here to pay it!' Then I caught the mounting hysteria in time, and thrust the ticket in my pocket with a fine appearance of annoyance.

'Hmm,' I said, 'costly car.'

Llŷr started to laugh. He wasn't accustomed to seeing me react so mildly to the depredations of Traffic Wardens, but the magic of alliteration and rhymes was always a safe bet to distract his attention from reality. He started to make up a nonsense jingle, and repeated it over and over all the way home. I joined in. When we got home, we sat down and, with a total lack of aptitude, stuck some kind of telescope together.

When Sal arrived home, I made some excuse that I had to go out to see someone about a sports programme on the radio. I couldn't face her at all. I grabbed my anorak, and out I went into the night. I sat in the car in the garage for a minute or two before starting the engine. Then I drove grimly, cutting corners, through the quiet streets, and out towards Caerphilly Mountain. But I couldn't park up there, there were roadworks all over the place. So I drove on through the town of Caerphilly, and on and on, through Ystrad Mynach towards Mountain Ash and Merthyr. It was a fine night, the moon dazzling white and the stars staring out of the sky. There was nothing else to be done somehow, just drive on. The business of driving a car used one's body, distracted the mind to some extent, created the fantasy that everything was normal, that the world hadn't suddenly lurched off its axle. I reached Storey Arms, at the head of the Beacons road, swung in to the layby, and sat there looking out at the vast spaces rolling away in the moonlight towards Brecon. I had told Sal a pointless lie for the first time for years. You can't build any relationship on a basis of total honesty. There are many things buried deep in your personality that you can't ever reveal to anyone. Unimportant things sometimes, petty shameful things that we are not willing even for those who share the most futile stupidities of our bodies to know about. But it is possible to live without formal, conventional lies. Sal and I have tried to live like that. Now, suddenly, it becomes necessary to pause, weigh one evil against another to find out which weighs the more. As I sit in the car, looking out at that white, silent world, it still isn't possible to believe in the reality of this thing inside me. To believe that the end is inevitable. That nothing can be done. The

Dydw i ddim yn edrych yn welw. Dydw i ddim yn orweiddiog. Fe allwn i wisgo tracwisg nawr, a rhedeg cylch neu ddau o'r trac heb ddim trafferth – wel, heb lawer o drafferth. Mae'n rhaid fod siawns. Does dim pwrpas dweud wrth Sal. Fe fydd y peth yn gwella. Rydw i wedi darllen am achosion – on'd ydw i? – lle mae meddyg wedi gwneud pob math o ddatganiadau terfynol, a'r cyfan wedi troi allan yn anghywir. Fe ddarllenais i y diwrnod o'r blaen am wellhad hollol wyrthiol o gancr yr ysgyfaint. Onid oedd rhywun wedi cael ei alw'n sant yn Iwerddon mewn cysylltiad â'r peth? Rhywun arall wedi gweddïo trwyddo am wellhad ac yntau wedi ei ddedfrydu i farwolaeth gan y meddygon. A'r cancr wedi clirio'n llwyr. Y Bendigedig Rhywun-neu'i-gilydd. Pam na allai hynny ddigwydd i mi? Fe allai ddigwydd. Does dim byd terfynol. Terminal. Gair hyll ydy 'terminal'. Gwaeth na 'terfynol'. Na, dydy'r peth sydd gen i ddim yn 'terminal'. Fedar o ddim bod. Rydw i'n gallu cerdded a gyrru car a gwneud popeth y gall unrhyw ddyn deugain oed ei wneud. Does dim pwrpas mewn dweud wrth Sal. Camgymeriad ydy o. Dydy'r meddygon ddim yn gwybod eu busnes . . .

Cychwynnais y car ar frys, troi ei drwyn am y de a gyrru'n wyllt trwy Ferthyr yn ôl i Gaerdydd. Cerddais i mewn yn sionc. Doedd Sal ddim wedi mynd i'w gwely.

'Ble rwyt ti wedi bod?'

'Fe ddwedais i wrthyt ti.'

Doedd Sal ddim y math o wraig i ofyn cwestiynau fel yna. Beth oedd yn bod?

'Fe alwodd Dafydd a Tom pan oeddet ti allan, eisie trafod rhyw raglen 'da ti. Fe ddwedes i dy fod ti wedi mynd allan i weld Tom, cyn belled ag y gwyddwn i.'

'Na. Rhaglen hefo Harlech oedd hi.'

Trois i ffwrdd i dynnu fy nghôt. Roedd Sal yn gwybod fy mod i'n dweud celwydd. Ddywedodd hi ddim gair. Aeth i mewn i'r gegin a gofyn yn swta oeddwn i isio diod cyn mynd i'r gwely. Tom ydy'r cynhyrchydd y bydda i'n arfer gweithio hefo fo, ac fe fydd Dafydd yn chwarae i Gymru ddydd Sadwrn. Mae Dafydd yn hen hen gyfaill, athro ysgol di-briod sy'n galw, fel mae Sal yn dweud, bob tro mae o isio bwyd. Wedi rhoi cwpaned o ddiod siocled yn ddieiriau o'm blaen, aeth Sal i'r gwely heb ddweud 'Nos da'. Arhosais innau yma wrth y tân i roi cyfle iddi hi gysgu, neu gogio cysgu, ac i minnau feddwl. Meddwl, meddwl, meddwl. Mae pob

31

doctor must have made a mistake. It must be possible to get rid of it. After all, I'm not ill. I don't look pale. I'm not bedridden. I could put on a tracksuit this minute, and run a lap or two without any difficulty – well, without much difficulty. There must be a chance. There's no point telling Sal. The thing will get better. I've read of cases – well, haven't I? – where the doctor has made definitive statements, and he's turned out to be completely wrong. I read the other day about a miraculous cure of someone who had lung cancer. Hadn't someone been made a saint or something in Ireland as a result of it? Someone else had prayed in his name for recovery after the doctors had said there was no hope. And the cancer disappeared completely. Blessed someone-or-other. Why couldn't that happen to me? It could happen. Nothing is final. Terminal. It's an ugly word, 'terminal'. Worse than 'final'. It can't be. I can walk and drive a car and do everything any forty-year-old man can do. There's no point telling Sal. It's a mistake. They just don't know enough . . . I started the engine impulsively, screwed the car around and drove desperately through Merthyr and back to Cardiff. I walked into the house jauntily. Sal hadn't gone to bed.

'Where have you been?'

'I told you.'

Sal wasn't the kind to ask silly questions. What was up?

'Dafydd and Tom called while you were out, wanted to discuss some programme with you. I told them you'd gone out to see them, as far as I knew.'

'No, it was a programme with HTV.'

I turned away to drag off my anorak. Sal knew I was telling lies. She didn't say anything. She went into the kitchen and asked stiffly whether I wanted a nightcap. Tom is the producer I usually work for, and Dafydd will be playing for Wales on Saturday. Dafydd is an old old friend, a bachelor schoolmaster who calls round, as Sal says, every time he doesn't feel like doing his own cooking. After putting a cup of hot chocolate in front of me, Sal went to bed without saying goodnight. And I sat on by the fire to give her a chance to get to sleep, or to pretend to sleep. And to give myself a chance to think. Think, think, think. All kinds of quotations keep on walking through my mind, and over and over, the line from Dylan

math o ddyfyniadau'n rhedeg o flaen fy llygaid heno, a throsodd a throsodd linell Dylan Thomas ar farwolaeth ei dad, 'Do not go gentle into that good night . . .' Sut mae peidio? Sefyll ar bennau'r tai a gweiddi protest? Dydw i ddim am chwilio am gymorth gan neb arall, mae hynny'n sicr. Fedra i ddim. Fedra i ddim dweud wrth neb. Sut mae dweud y fath beth? Pa eiriau sy'n bosibl? A fedra i ddim dweud wrth Sal, beth bynnag mae hi'n ei feddwl. Fe fydd raid i mi fynd i fyny i'n hystafell, dringo i'r gwely dwbl, chwarae bach fy mod i'n credu fod Sal yn cysgu, a gorwedd yno tan y bore.

Ionawr 14
Un o'r problemau ymarferol sy'n codi eu pennau ynghanol yr hunllef ydy'r angen i gymryd dwy bilsen bedair gwaith y dydd heb i neb sylwi. Mae'n bosibl, ond mae'n anodd. Mae'n rhaid i mi lyncu dwy cyn gynted ag y byddaf wedi codi yn y bore, meddai'r meddyg. Cyn hir fe fydd rhaid i mi lyncu rhai ynghanol y nos hefyd. Wel, mae'n well ceisio wynebu problemau fesul un, yn gall.

Deffrois rywbryd tua thri, ar ôl cysgu'n chwyslyd am awr, gyda blas annifyr ar fy nhafod, ac yn chwil benysgafn pan godais i fynd i'r tŷ bach. Mae'n siŵr fy mod yn gorliwio rhai o'r symptomau, a minnau bellach yn gwybod beth ydy'r achos. Ond maen nhw yna. Does dim amheuaeth am hynny. Fe gysgais wedyn am awr neu ddwy. A phan ddeffrois yr ail dro roeddwn i wedi gwneud penderfyniad. Roedd yn rhaid dweud wrth Sal. Wyddwn i ddim sut. Doedd gen i mo'r syniad lleiaf sut. Ond doedd dim modd ceisio cuddio pethau oddi wrthi hyd y diwedd. Roedd yn rhaid iddi wybod rywbryd. Roedd yn well iddi wybod nawr. Wedi penderfynu, es yn ôl i gysgu'n llawer mwy esmwyth.

Yn y bore gollyngodd Sal fi yn y coleg fel arfer, ar ei ffordd i'r ysgol, a cherddais innau i mewn i ystafell y darlithwyr, lle roedd Phil Roberts, fy nirprwy yn yr adran Addysg Gorfforol, yn disgwyl amdanaf. Roedd e mewn tipyn o stêm ynglŷn â ddoe.

'Beth ddigwyddodd ddoe 'te?'
'O, mae'n ddrwg gen i, Phil. Roedd gen i ddêt hefo'r doctor. Ganol y bore. Fedrwn i ddim bod yma. Anghofio dweud . . .'
'O, wel . . . dim byd mawr, gobeithio?'
'Na, na. Dipyn o drwbwl hefo'r hen gefn. Wyddost ti. Dechra mynd yn hen.'

33

Thomas to his father, 'Do not go gentle into that good night . . .'
How can you avoid it? Stand up and bellow about it? I'm not going
to go begging for help, that's definite. I can't. I've got to cope with
it myself. I can't tell anybody. How can you? What words would
you use? And I can't tell Sal, whatever she's thinking. I'll just have
to go up to the bedroom in a minute, climb into the double bed,
pretend I think Sal is asleep, and lie there until morning.

January 14
One of the simple practical problems that raise their heads in the
middle of this nightmare is the need to take two pills four times a
day without anyone noticing. It's possible, but it's difficult. I have
to swallow two as soon as I get up in the morning, the doctor says.
Before long, I'll have to swallow them at intervals during the night
as well. Well, let's take these things one at a time, sensibly.

I woke up somewhere around three o'clock, after sleeping
sweatily for an hour, with a bitter taste at the back of my tongue
and a fog before my eyes when I staggered off to the toilet. No
doubt I exaggerate all these symptoms, now that I know the cause.
But they are there. There's no doubt about that. Then I slept for an
hour or two. And when I woke up the second time, I had made a
decision. I had to tell Sal. I didn't know how. I hadn't the slightest
idea how. But it just wouldn't be possible to hide things from her
indefinitely. She might as well know now. And after making this
decision, I went back to sleep more readily.

In the morning, Sal dropped me off at the college as usual, on
her way to school, and I walked into the staff room, where Phil
Roberts, my deputy in the Physical Education Department, was
waiting for me. He was obviously a bit put out about yesterday.

'What happened to you then?'

'Look, I really am sorry, Phil. I had an appointment to see the
doctor. In the middle of the morning. I just couldn't be here. Clean
forgot to tell you . . .'

'Oh, well . . . I was hanging about, wondering whether to do
things myself . . . nothing serious, I hope?'

'No, no. A bit of trouble with the old back. You know. Getting old.'

Es draw i'r gampfa gyda Phil i gael sgwrs â'r tîm. Maen nhw'n chwarae St Luke's bore fory. Gêm sialens arbennig, gan fod rhyw ddadl wedi codi ynglŷn â'r gêm a fu rhwng y ddau dîm yng ngornest y colegau y tymor diwethaf. St Luke's wedi ennill – i fod yn hollol onest, oherwydd camgymeriadau canolwr echrydus o wael, a'r ddau dîm yn gwybod hynny. Gêm breifat i achub anrhydedd y naill dîm a'r llall oedd hon felly, gêm heb unrhyw ddiddordeb na phwysigrwydd i neb arall, ond o ddiddordeb a phwysigrwydd mawr i ni.

Pan gerddais i mewn roedd y bechgyn i gyd yno, yn rhyw fân neidio a dawnsio o gwmpas yn eu tracwisgoedd, yn nerfus heddiw heb sôn am yfory. Roeddwn i wedi sylwi o'r blaen, o bryd i'w gilydd, wrth reswm, ar ardderchogrwydd corfforol bechgyn y timau. Yn ugain, un ar hugain, dwy ar hugain oed, wedi hyfforddi, caledu, gweithio pob owns o fraster i ffwrdd, roedden nhw cyn agosed at berffeithrwydd ffitrwydd corfforol ag y gellir ei gael. Ond heddiw roeddwn i'n sylwi mewn ffordd wahanol. Mewn cenfigen lwyr. Cenfigen filain, ddinistriol. Fel mater-o-ffaith fûm i erioed mor ffit â'r rhain, hyd yn oed pan oeddwn i'n chwarae i Gymru. Roedd pethau'n llawer iawn mwy mympwyol yn y dyddiau hynny. Doedd y chwarae ddim mymryn llai caled, wrth gwrs. Roedd e'n galed mewn ffordd wahanol. Roedd y gêm yn fwy araf; ond yn yr arafwch roedd digon o gyfle i ddynion mawr cryf gwrdd â'i gilydd wyneb yn wyneb mewn cystadlaethau uniongyrchol. Cyn belled ag yr oeddem ni'r olwyr yn y cwestiwn, rhedeg, pasio a thaclo'n gilydd oedd ein busnes ni. Heddiw mae 'total rugby' yr un mor gyffredin fel damcaniaeth â 'total football'. Mae gofyn i flaenwr redeg a phasio a bod yn barod i redeg ugain neu ddeugain llath am gais unrhyw bryd rhwng dechrau a diwedd gêm, ac yntau wedi bod yn tywallt ei egni i'r sgarmesoedd a'r taclo ar hyd a lled y cae trwy'r amser. Ac mae gofyn i olwyr heddiw, yn arbennig y canolwyr a'r cefnwyr, ffurfio sgarmesoedd eu hunain, a bod yn ddigon cryf i gynnal y sgarmes hyd nes y bydd y blaenwyr yn cyrraedd. O ganlyniad mae pob un o'r bechgyn hyn sydd yn nhîm y coleg yn fabolgampwr cymesur, cyflym, cryf. Mae'n rhaid i'r gwiwerod ysgafn oedd yn arfer chwarae ar yr asgell a'r eliffantod brawychus oedd yn arfer cloi'r sgrym gymryd eu lleoedd yn y timau eraill; does dim lle iddyn nhw yn y tîm cyntaf y dyddiau hyn.

Mae digon o jocian mai rygbi ydy crefydd Cymru heddiw. Wrth

I went over to the gymnasium with Phil to have a chat with the team. They're playing St Luke's tomorrow morning before the international. A special challenge match. Some dispute had arisen about the cup match between the two teams last term. St Luke's had only won – everyone admitted it now – because of the mistakes of a referee who just had one of those games. Everyone was a bit embarrassed about it. So this was a sort of private sorter-out to salve everybody's pride. A game of no significance to anyone but the two teams, but of great significance to them.

When I walked in, all the boys were there, skipping and jogging about in their tracksuits, nervous already. What would they be like by tomorrow? I'd noticed before, obviously, how superbly, smoothly fit these lads were. Twenty, twenty-one, twenty-two years old, trained, hardened, having worked off every ounce of fat, they were as near perfection as the human machine can get. But today I noticed it in a different way. With total jealousy. A vicious, destructive jealousy. As a matter of fact, I had never been as fit as these lads, even when I was playing for Wales. Things were much more haphazard in those days. The game was no less hard. But it was hard in a different way. The pace was nothing like as fast, but in the comparative slowness, there was plenty of opportunity for big strong men to meet head-on in personal encounters. As far as we backs were concerned, our business was to run, pass and tackle other backs. Today, 'total rugby' is as common a concept as 'total football'. And maybe it's more often practised. A forward nowadays has to move about the field very rapidly indeed, he has to be able to pass, he has to be ready to run in twenty or thirty yards for a try after he's been pouring out this energy continuously into the scrums and mauls. And backs today, especially centres and full-backs, have to form rucks and mauls themselves, and be strong enough to hold their own until the forwards get there. As a result, all these lads who are in the first team are strong, balanced athletes. Those light-footed squirrels who used to dance about on the wings and the great heavy tanks who used to lock the scrums have to root about for places in the lower teams; there's no room for them at the top these days.

Everyone says jokingly that rugby is the contemporary Welsh religion. Looking at these lads, the concept deserves serious

edrych ar y bechgyn hyn mae'r gosodiad yn haeddu ystyriaeth ddifrifol. O ran cyfuniad o gorff a chalon, o ddisgyblaeth ac o ymroddiad llwyr, fe fyddai'n anodd darganfod criw arall o fechgyn ifainc i gystadlu â chwaraewyr rygbi y dyddiau hyn. Dydyn nhw ddim bob amser yn sefyll allan o safbwynt deallusrwydd, hwyrach. Yn sicr dydyn nhw ddim fel arfer yn artistiaid creadigol (er bod hyd yn oed hynny i'w gael ar adegau prin. Beth, wedi'r cyfan, oedd Barry John?). Ond dydw i ddim yn siŵr pa mor bwysig ydy deallusrwydd, wedi'r cyfan. Mae hwn yn gyfnod lle nad oes llawer o fri'n cael ei osod ar weithio'n ddisgybledig mewn brawdoliaeth glòs. Dan y fath amgylchiadau mae'n rhyfedd y math o fachgen sy'n cael ei ddenu i gymryd rygbi o ddifrif. Bechgyn difrifol, tawel, cytbwys, call iawn yn aml, ceidwadol eu naws, awyddus i wneud rhywbeth anodd, disgybledig. Mae'r yfwyr mawr, y cymdeithaswyr swnllyd, bois y rheg barod, gyda stori fudr ar gael ar gyfer unrhyw achlysur, o hyd i'w cael, wrth gwrs. Y rhain sy'n mynnu cadw'r hen chwedlau'n fyw, yr hen syniad mai'r ffordd i ddyn ddangos ei fod yn ddyn yw trwy fod mor 'galed' ag sy'n bosibl ar y cae, a thrwy yfed mwy na neb arall ym mar y clwb wedyn. Maen nhw i'w cael o hyd, ond maen nhw'n llai niferus nag yr oedden nhw'n arfer bod erstalwm, yn llai o fwrn nag yr oedden nhw yn f'amser i. Mewn oes ddi-ffurf a di-reolau mae rygbi'n cynnig cyfle i fechgyn brwd wneud mwy na chwarae gêm. Mae e'n grefydd o ryw fath. I'r cryf o gorff, wrth gwrs. Ac mae hi'n grefydd sy'n gyfoethog mewn offeiriaid a gweision offeiriaid. Ac mewn defodau hefyd. A minnau? Lefiad, mae'n debyg; rhywle ar yr ymylon.

Wrth edrych ar y bechgyn heddiw, ar eu hwynebau hollol ddifrif yn gwrando arnaf yn ailadrodd y geiriau defodol am sgarmesu ac ennill pêl dda a gwrth-ymosod, a'r holl ymadroddion sy'n ddigon cyfarwydd erbyn hyn i unrhyw aelod o gynulleidfa *Sports Line-up* sy'n gwrando'n ddiwyd ar bregethau'r Archesgobion Carwyn a Merfyn, rwy'n ymwybodol iawn o'r gwacter ynghanol y cyfan . . . Rydw i newydd ddarllen y geiriau yna. Rwy'n synnu eu bod nhw'n eiriau mor sarrug. Doeddwn i ddim yn teimlo'n sarrug o gwbl wrth siarad â'r hogiau. Roeddwn i'n hollol ddilys wrth sôn am bwysigrwydd y gêm, am yr angen am ymroddiad – 'Cant-y-cant, bois, cant-y-cant.' Roeddwn i'r un mor ddifrif-ymroddgar â hwythau wrth fynd drwy swyddogaethau pob unigolyn, a sôn am wendidau'r tîm arall. Ond roedd ymdeimlad dychrynllyd o wacter,

consideration. As a compound of physical and mental attributes, of discipline and total commitment, you'd be hard put to it to find a more effective group of lads than these rugby players. Maybe they aren't outstanding from the point of view of sheer intelligence. Certainly, they aren't usually creative artists (although you can find even that very occasionally; what after all, was Barry John?) But I'm not at all sure how useful sheer intelligence is anyhow. This is a period when there isn't too much respect for disciplined co-operation within a tight community. In such circumstances, it's odd sometimes the kind of lad who's impelled to take rugby seriously. Serious, quiet lads, often very balanced, very sensible, usually pretty conservative, wanting to do something difficult, disciplined, tough. The big drinkers, the singers, the noisy extroverts, the lads for whom language is one long, monotonous obscenity, they're still around, obviously. They're the ones whose energies off the field are devoted to the preservation of primitive illusions, of the concept that a man, to be a man, should be as 'hard' as possible during the game, and drink everyone else under the table afterwards. They're still around, and they're often honoured as 'characters', especially when they retire, bulbous and apoplectic, to the committee box, but they seem less numerous than they once were, and certainly less influential than they were in my time. In a formless age when anything goes, rugby gives some kids a chance to do more than play a game. It is a kind of religion. Only for the physically strong, of course. And it's a religion dripping with priests and acolytes. And with ritual too. And where do I fit in? A Levite, I suppose; somewhere on the fringe.

Looking at the lads today, at their utterly serious faces listening to me repeating the ritualistic words about 'second phase', 'good ball', 'counter-attacking', and all those phrases that are guaranteed by now to trigger off a predictable reaction in any regular viewer of *Sports Line-Up*, I'm very conscious of the emptiness of it all . . . I've just re-read that last paragraph. I'm surprised they are such sardonic words. I didn't feel like that at all while I was talking to the lads. I was quite sincere as I told them about the importance of the game, about the need for commitment – 'Hundred per cent, lads, hundred per cent.' I was just as devoted as they were as I outlined each individual's functions and duties, and analysed our opponent's weaknesses. But there was a terrible sense of emptiness

serch hynny. Ymdeimlad hunllefus bron, fel pe baem ni'n prancio ar ymyl dibyn difesur, ac yn y diwedd yn disgyn drosodd fesul un. Cododd pawb wedyn ac allan â ni i'r cae i ymarfer y symudiadau. Wrth eu gwylio'n gweithio trwy'r stoc o symudiadau set, eu cryfder a'u hyder a'u cyd-ddeall, eu traed yn chwim ar y ddaear galed, daeth ymdeimlad dwfn, milain o genfigen drosof fel ton annifyr unwaith yn rhagor. Doedd dim byd mor hardd, mor hollol bwysig, â chydraddoliad corfforol. Rydw i'n hyfforddwr da. Does dim pwrpas celu hynny. Ymysg y goreuon. Ond dydy hyfforddwr, wrth gwrs, ddim yn rhan o'r gêm. Ddim, mewn gwirionedd, yn angenrheidiol; mae'n hawdd sôn yn huawdl am gymhelliant, am ysgogi'r ysbryd priodol, yr ymateb priodol. Mae cyfriniaeth wedi tyfu o gwmpas y peth. Fel mater-o-ffaith does dim angen creu cymhelliant yn y bechgyn hyn. Mae'r gêm ei hunan yn gymhelliad, bod ar y cae yn eu cryfder a'u gosgeiddrwydd.

Ar ddiwedd y sesiwn roeddwn i'n teimlo'n flinedig iawn, a chofiais ar drawiad fod Sal a minnau i fod i fynd allan i barti sieri am saith. Doedd hynny ddim yn anghyffredin iawn a fyddwn i ddim fel arfer wedi meddwl ddwywaith am y peth. Fedra i ddim dweud yn iawn pam y ffrwydrodd cof am yr ymrwymiad yn ddiflastod drosof y prynhawn yma chwaith. Ond fe wnaeth. Dywedais wrth Phil nad oedd gen i ddim amser i fynd i'r Admiral Nelson am beint – ein harferiad defodol bron ar ôl sesiwn hyfforddi. Roeddem ni'n arfer cyfarfod cwpl o hyfforddwyr colegau eraill yno a threulio'r amser yn trafod tactegau hyd nes y deuai Sal i fynd â mi adref ar ei ffordd o'r ysgol. Heddiw euthum i eistedd yn f'ystafell yn adeilad y gampfa. Estynnais i'm poced am sigarét. Yna cofiais fy mod wedi eu gadael gartref o fwriad. Doedd y meddyg anniplomataidd ddim wedi dweud na ddylwn i ddim ysmygu. Roedd hi'n weddol amlwg nad oedd e ddim yn ystyried unrhyw gyngor meddygol o werth yn y byd. Ond doeddwn i ddim, serch hynny, yn teimlo y gallwn i ysmygu. Daeth Arfon, capten y tîm, bachgen o Ddeiniolen o bobman, i mewn yn dyweli ac yn chwys ac yn gymalau i gyd.

'Gair am y ciciau cosb . . . Ydach chi'n ol-reit, syr?'

'Ol-reit? Wrth gwrs. Beth yw'r broblem?'

'Wel . . .'

Aeth Arfon yn ei flaen i drafod ei gynlluniau. Roedd o wedi

underlying it all, nevertheless. A surrealist, nightmare feeling, as though we were all dancing about on the edge of a bottomless pit, just waiting our turn to topple in.

Everyone got up after I had finished talking, and out we went to practise our moves. And then, as I watched them working through their repertoire of set moves, their strength and their confidence and their mutual understanding, their feet quick and sure over the hard ground, a deep, biting jealousy swept over me once more. There was nothing as important, as totally beautiful, as physical co-ordination. I'm a good coach. No point pretending I'm not. Among the best. But a coach isn't actually an integral part of the game. He isn't, to be absolutely honest, necessary. It's easy to talk about motivation, about strategy, about right reactions. A kind of mysticism has grown up around these things. As a matter of fact, you don't really need to motivate these lads. The game itself is the motivation, being on the field and feeling their own strength and power.

At the end of the session, I felt very tired, and I remembered suddenly that Sal and I were supposed to go out to some party at seven. That wasn't very unusual and I wouldn't normally have thought twice about it. And I'm not really sure why I reacted so strongly against the idea this afternoon either. But I did. I told Phil I didn't have time to go over to the Admiral Nelson for a pint, our accustomed ritual after a training session. We would usually meet a couple of other coaches there and sit and talk about moves and tactics until Sal came to pick me up on her way home from school. Today, I went to sit in my room in the gymnasium building. I reached into my pocket for a cigarette. Then I remembered that I had deliberately left them at home. The medical diplomat hadn't told me I mustn't smoke. It was fairly obvious that he didn't see the point of giving me medical advice of any kind. But I didn't, nevertheless, feel that I could smoke. Arfon, the team captain, a lad from soccer-playing Deiniolen, came in, all towels and sweat and rippling muscles.

'You know about these penalties . . . you all right, sir?'

'All right? Yes, of course. What's the problem?'

'Well . . .'

Arfon went on to discuss his stratagems. He'd forgotten the other

anghofio ei gwestiwn cyn gynted ag yr oedd o wedi ei ofyn. Ond doeddwn i, yn fy stad uffernol bresennol, ddim yn gallu ei anghofio. Fedrwn i ddim gwrando ar ei frwdfrydedd, ac fe sylwodd Arfon ar hynny'n fuan iawn, yr hen greadur. Cododd ar ei draed. 'Wel, mi wnawn ni beth fyddwn ni'n arfar neud, 'te. Dyna 'di'r peth gora. Peidio treio petha newydd heb ddigon o ymarfer . . .'

Aeth allan yn siomedig. Mae'r chwaraewyr bob amser yn disgwyl i'r hyfforddwr fod yn ffanatig unllygeidiog. Mae'n rhaid iddyn nhw fedru mynd i'r bar ar ôl hyfforddi am eu peint diwair ac ailadrodd dywediadau diweddaraf yr hen foi mewn tôn ffug-ddirmygus. Os am gael hyfforddwyr o gwbl, mae'n rhaid iddyn nhw fod yn unllygeidiog ymroddgar i'r grefydd y maen nhw'n ei gwasanaethu. Yr un peth na all unrhyw grefydd ei goddef yw offeiriaid agnostig. Fe fyddai'n ddamniol i unrhyw dîm rygbi pe baen nhw'n gwybod fod eu hyfforddwr yn edrych ar y cyfan fel gêm.

Ceisiais guddio oddi wrth Sal fy niflastod llwyr wrth feddwl am y parti sieri. Mae'n anodd sylweddoli fod byd Sal heddiw yn union yn yr un cyflwr ag yr oedd o ddoe ac echdoe. Mae brawddeg neu ddwy gan ddiawl dwl mewn ysbyty wedi gadael fy nghreadigaeth i yn y cawl mwyaf diawledig. Ac mae'n anodd sylweddoli, mae'n amhosibl sylweddoli, fod popeth yn edrych yr un fath i Sal ag yr oedd o o'r blaen. Mewn pedair awr ar hugain mae'r rhan fwyaf o'r pethau oedd yn hollbwysig o'r blaen wedi cael eu troi wyneb i waered. Fel yr oeddem ni'n gwisgo ar gyfer y parti, fe ddaeth Sal i fyny ataf, pwyso ei chorff yn f'erbyn, a gosod ei dwylo ar fy wyneb.

'John, beth sy'n bod? Plîs wnei di ddweud wrtho' i beth sy'n bod? Plîs?'

'Dim byd. Dim byd.'

Roedd e'n beth dwl i'w ddweud. Roeddem ni wedi bod yn briod am ddeunaw mlynedd. Roedd y math yna o gelwydd noeth mor gwbl annerbyniol, doedd Sal ddim yn gwybod i ddechrau sut i ymateb. Edrychodd arnaf yn ddryslyd-boenus, ac yna chwarddodd yn swta, a throdd i ffwrdd. Camodd i mewn i'r wisg fer ewynnog yr oedd hi'n arfer ei gwisgo y dyddiau hyn i bartïa, a dywedodd yn ysgafn: 'Cau fi lan, 'te. Mae'n well i ni frysio neu fe fyddwn ni ar ôl pawb . . .'

Gorfodais fy hunan i gerdded o gwmpas yn heulog-hamddenol yn y parti. Roedd pawb, wrth gwrs, yn sôn am yfory. Rhai eisiau trafod pwyntiau digon diddorol ynglŷn â'r timau; eraill, fel un perfformiwr teledu enwog, yn awyddus i brofi eu bod nid yn unig

question as soon as he'd asked it. But I, in my hyper-conscious state, couldn't forget it. I couldn't listen to his enthusiasm. And Arfon saw that soon enough, poor fellow. He got up.

'Well, we'll do what we usually do then. That's the best thing. Best not to try anything new without practising it . . .'

He went out disappointed. The players always expect the coach to be a single-minded fanatic. They must be able to go into the bar after their sessions and repeat the old man's latest obsession with mock ridicule. If you're going to have a coach at all, then you must have one who is fanatically committed to the religion you serve. The one thing no religion will tolerate is an agnostic priest. It would be catastrophic for the morale of any rugby team to discover that their coach regarded the whole thing as a game.

I tried to hide from Sal my distaste at the thought of the party. It just isn't possible to remember that Sal's world today is exactly the same as it was yesterday and the day before. One or two sentences uttered by a pompous lad in a hospital office have left my universe in complete disarray. How can I realise that everything looks exactly the same to Sal as it did before? While we were changing to go out, Sal came up to me, pressed herself against me, and held my face in her hands.

'John, what's up? Please tell me what's the matter? Please?'

'No. It's nothing. Nothing.'

It was a stupid thing to say. We've been married eighteen years. That kind of barefaced lie was so totally unacceptable, Sal didn't immediately know how to react. She looked at me in bewilderment, laughed awkwardly, and turned away. She stepped into the short, foaming concoction she wore to go to parties these days, and said lightly, 'Zip me up then. We'd better hurry or we'll be last there again.'

I forced myself to wander about, sunnily relaxed, at this damn party. Everyone, of course, was talking about tomorrow. Some wanting to discuss interesting enough things about the two teams; others, like one television performer, were eager to prove, not only that they knew Gareth Edwards was a scrum-half, but also that they had exchanged two sentences with him after some game against Llanelli at Strade some year or other.

yn gwybod beth oedd safle Gareth Edwards, ond hefyd wedi cyfnewid brawddeg ag o rywbryd ar ôl gêm yn erbyn Llanelli ar y Strade ryw flwyddyn neu'i gilydd. Dydw i ddim yn yfwr mawr mewn partïon. Rydw i'n dal i geisio cadw'n ffit, ac mae pob chwaraewr cydwladol, wedi'r cyfan, wedi gorfod arbenigo yn y grefft o lapio'i hunan yn dynn am un gwydraid o rywbeth ysgafn dros ben, a'i gadw'n ddiogel am oriau. Ond heno dechreuais yfed. Eisteddais mewn cornel hefo rhyw ferch siaradus o'r BBC a gwenu'n glên arni a derbyn wisgi bob tro y deuai'r botel o fewn cyrraedd. Parti Cymraeg oedd y parti. Y math o barti lle mae pentwr o Gymry Cymraeg sy'n siarad Saesneg y rhan fwyaf o'r amser yn gwneud ymdrech galed ddychrynllyd i siarad Cymraeg – ac yn methu'n gynyddol fel mae'r noson yn mynd yn ei blaen.

Mae gyda ni nifer o ffrindiau yng Nghaerdydd, chwarae teg, sy'n byw'r rhan fwyaf o'r amser yn Gymraeg, ac sy'n gwybod, i raddau, pam. Doedd neb ohonyn nhw'n bresennol, yn anffodus. Roedd y rhan fwyaf o boblogaeth y parti yn perthyn i'r brîd newydd sydd, yn syfrdanol i mi fel Cymro cefn gwlad, yn gweld rhyw werth cymdeithasol mewn ffugio Cymreigrwydd. Felly fe eisteddais yn y gornel yn yfed wisgi hefo'r ferch o'r BBC. Roedd hi o leiaf yn ddeniadol ac roedd hi'n siarad Cymraeg Sir Fôn. Yn y diwedd sylwais yn niwlog fy mod yn siarad yn llawer mwy huawdl ac yn llawer mwy croch nag yr oeddwn yn bwriadu ei wneud, a bod nifer o wrandawyr yn dechrau crwydro i'n cyfeiriad ni. Ac yna'n sydyn, yn hollol ddirybudd, chwydais dros y ferch o Sir Fôn, dros y carped, dros fy nghrys glas newydd.

Roedd poen annioddefol yn fy mol. Poen diarth a dychrynllyd yn ei ddyfnder a'i barhad. Roedd yn mynnu gwagio f'ymysgaroedd yn llwyr o bob rhithyn o'u cynnwys. Eisteddais yn fy nyblau, yn pwyso dros ochr y gadair, yn hollol ddifater i'r cynnwrf o'm cwmpas, yn chwydu drosodd a throsodd.

Cyrhaeddodd Sal o rywle, gafaelodd ynof, ceisiodd dawelu'r storm ddychrynllyd o gyfogi. Pan beidiodd yr hyrddiau o'r diwedd, gorweddais yn ôl yn hollol ddiymadferth yn y gadair, gan regi'n ddistaw ac yn filain, 'Bastard . . . y bastard . . . O'r blydi bastard . . .'

Gallwn deimlo Sal yn ceisio mopio fy nghrys, a phobl yn mynd a dŵad hefo powliau a thyweli. Yn araf bach deffrois i ddiflastod y sefyllfa, i ddiflastod a budreddi a dwli plentynnaidd corff anniben. Roeddwn o hyd, wrth gwrs, yn benysgafn ac yn feddw, a doeddwn i ddim yn gallu sefyll ar fy nhraed pan geisiais wneud hynny.

I'm not a heavy drinker at parties. I'm still trying to keep fit, and every international rugby player, after all, has had to learn the craft of wrapping himself around a glass of something pretty innocuous and staying with it most of the evening. But tonight I drank. I sat in a corner with a talkative girl from the BBC, smiled engagingly at her and grabbed the whisky bottle every time it came within reach. The party was a Welsh-speaking party. The kind of party where a crowd of Welsh-speakers who speak English most of the time make a dreadfully earnest effort to speak Welsh – and progressively fail to keep it up as the evening wears on.

We have a number of friends, to be fair, who consciously live most of their lives in Welsh, and who know, on the whole, why they are doing it. None of them were at this party, unfortunately. Most of those present belonged to the new breed who, amazingly to me, brought up as I was in rural Wales, see some social value in assuming a kind of Welshness they don't, in fact, possess. So I sat in my corner and drank whisky with the girl from the BBC. She was at least attractive and she spoke Anglesey Welsh. Eventually, I realised foggily that I was talking much more expansively than I wanted to, and that a number of interested parties were gravitating towards us. And then suddenly, without any warning, I vomited all over the girl from Anglesey, the carpet and my new blue shirt.

My belly was on fire. It was pain that was quite unfamiliar in its depth and in its persistence. It was bent on emptying my intestines of all their contents over and over and over. I sat, doubled up, leaning over the arm of the chair, totally oblivious of the consternation around me, vomiting again and again.

Sal arrived from somewhere, held me, tried to quieten the dreadful storm of sickness. When it finally eased, I lay back utterly exhausted in the chair, quietly swearing, 'Bastard . . . the bastard . . . oh, the bloody bastard . . .'

I could feel Sal trying to mop up my shirt, and people coming and going with bowls and towels. Then, slowly, I woke up to the embarrassment of the situation. To the embarrassment and filth and sheer childish stupidity of an incontinent body. I was still, of course, drunk and light-headed, and I couldn't stand up when I tried to.

Doedd neb yn teimlo'n garedig iawn, roedd hynny'n amlwg. Ond roedden nhw i gyd wedi synnu. Doedd John Bowen ddim yn meddwi. Beth oedd yn bod arno fo? Rhai'n chwerthin, wrth reswm. Yn ein cylchoedd ni roeddwn i ychydig bach yn rhy sobor i chwaeth y rhan fwyaf. Braidd yn llwydaidd mewn cymhariaeth â Sal, mewn gwirionedd. Roedd gweld John Bowen yn chwil gaib bloto, yn sâl fel ci, yn foddhad, wedi'r cyfan, i rai. Ond doedd Sal ddim yn chwerthin. Cododd fi ar fy nhraed. Ceisiais ymddiheuro. Fedrwn i ddim gweld y gwesteiwyr. Fedrwn i ddim gweld unrhyw beth yn eglur iawn. Ond rhaid oedd ceisio ymddiheuro.

'Blydi sori . . . Ble maen nhw . . . ? Mae'n rhaid dweud . . .'

'*Come on!* Tyrd adref.'

Aethom adref rywsut, y ddau ohonom, a Dafydd hefo ni. Hwyrach ei fod yn ofni y byddwn i'n disgyn yn ddiymadferth ar y carped a gadael Sal i'm cario i'r gwely. Fe agorodd ddrws y car a'm harwain i'r tŷ. Roedd e'n siarad yn or-ddistaw fel pe bai'n ceisio tawelu plentyn bach.

''Na fe, fachgen. Ara deg, yntefe. Gwylia'r step.'

'Dos i'r diawl.'

Gwthiais e o'r ffordd. A stryffaglais i mewn i'r tŷ rywsut ac eistedd yn drwm yn y gadair fawr gyfforddus wrth ymyl y lle tân. Safai Dafydd wrth ymyl y drws, yn gwenu'n ddwl.

'Pam ddiawl wyt ti'n sefyll yn fan'na? Dos adra. *Bugger off.* Dos i dy dŷ dy hun . . .'

Gwelais Dafydd yn edrych ar Sal, a hithau'n arwyddo iddo fynd. Daeth Sal i sefyll uwch fy mhen.

'Mae'n rhaid i ti ddweud wrtho' i beth sy'n bod. Ac mae'n rhaid i ti ddweud nawr . . .'

'Sdim byd yn blydi bod . . . Wedi cael gormod i yfed . . . Isio cysgu . . .'

'Chei di ddim cysgu, 'te . . . Rw i am gael gwybod . . .'

'Sdim byd i wybod . . .'

Aeth i ffwrdd i'r gegin ac fe allwn ei chlywed yn clecian a tharo'r llestri yn erbyn ei gilydd yn swnllyd ac yn ddig. Roeddwn i wedi blino. Roeddwn i eisiau cysgu. Ond roedd y boen yn fy mol, yn ddolur dwfn, parhaus erbyn hyn, yn mynnu sylw hefyd. Gadewais i'm pen ddisgyn ymlaen ar fy mrest a cheisiais gau fy meddwl a'm dychymyg i'r boen yn gyfan gwbl.

45

No one was very kindly disposed towards me, that was obvious. And they were all somewhat shocked. John Bowen didn't get drunk. What was the matter with him? Some were sniggering, naturally. I was normally just a bit too sober for the tastes of most of our group. Pretty pale and unadventurous compared with Sal, for example. Seeing John Bowen absolutely blind drunk, sick as a dog, was satisfying for some. But Sal wasn't laughing. She got me up on my feet. I tried to apologise. I couldn't see our hosts. I couldn't see anything very clearly. But I had to apologise.

'Bloody sorry . . . where the hell are they . . . I've got to tell them . . .'

'Come on! Let's go home.'

We got home somehow, the two of us, with Dafydd in tow. Perhaps he was afraid I would collapse on the carpet and leave Sal to carry me upstairs to bed. He opened the car door solicitously, and shepherded me inside. He was talking very quietly, as though to an old lady.

'There we are, lad. Gently does it. Mind the step.'

'Bugger off!'

I shoved him out of the way, shambled into the house somehow and sat heavily in the comfortable old chair by the fire. Dafydd stood by the door, smiling uncertainly.

'What the hell are you standing there for? Go home. Piss off. Haven't you got a home of your own . . .'

I saw Dafydd looking across at Sal, and I saw her signalling for him to go. She came and stood over me, a black shape against the light.

'You've got to tell me what's wrong. And you've got to tell me now.'

''S nothing bloody wrong . . . too much to drink . . . wanna go to sleep . . .'

'You're not going to sleep then . . . I want to know . . .'

'Nothing to know . . . Let me go to sleep . . .'

She went off to the kitchen, and I could hear her clattering and banging the dishes together angrily. I was tired. I wanted to go to sleep. But the pain in my belly, a deep, constant sore, was demanding attention as well. I let my head sink down on my breast and I tried to close my mind and my body to the pain altogether.

'Tyrd. Yf hwn, 'te.'

Roedd Sal yn sefyll yno unwaith yn rhagor. Gyda rhyw fath o ddiod boeth yn chwifio uwch fy mhen. Gwthiodd y cwpan yn erbyn fy ngwefusau ac fe hyrddiais innau ei llaw a'r cwpan ar draws yr ystafell nes yr oedd darnau o grochenwaith Ewenni'n sglefrian o gwmpas y llawr a stremp o goffi du ar draws y soffa newydd felyngoch. Edrychai Sal yn hollol hurt. Gwaeddais:

'Gad lonydd i mi. Wnei di jest fynd a gadael llonydd i mi? Ti a blydi Dafydd yn bwmblan o gwmpas fel neinod. Dos i'r diawl a gad lonydd i mi. Gad lonydd . . . gad lonydd . . .'

Er mawr ddicter i mi fy hun dyma fi'n dechrau wylo'n swnllyd, fel dynas. Ceisiais ymatal, ond roedd y dicter cyn gryfed â'r hunan-dosturi, yn ychwanegu at y sŵn a'r dagrau.

'Wyt ti isio gwbod beth sy'n bod? Fe gei di wybod beth sy'n bod. Rydw i'n blydi marw, dyna beth sy'n bod. Wyt ti'n clywed, rydw i'n blydi marw . . .'

Roedd yr olwg o anneall llwyr ar ei hwyneb yn fy nghythruddo mewn modd hollol afresymol. Dydy'r bitsh ddim yn deall o gwbl. Dyna lle mae hi'n sefyll yn fan'na fel ffŵl, yn deall dim, a'i cheg yn llydan agored a'i gwallt am ben ei danneddf. Am blydi gwraig! Pwy fedar ddeall os na fedar gwraig ddeall? Does neb yn deall. Neb. Rydw i'n hollol ar fy mhen fy hun. Rydw i'n marw. Mae'r diawl 'ma'n cnoi fy nhu mewn i a fedra i wneud dim ynglŷn â'r peth. A dydy hi ddim uffern o ots i neb o gwbl. Neb ond fi. Fydda i ddim byd ond darn o blydi carreg yn y fynwent yn rhywle, a pha ots? Fe fydd y bitsh yma yn y gwely hefo rhywun arall o fewn mis, yn mwynhau ei hunan yn ardderchog. Beth ydy'r blydi pwynt o fyw o gwbl?

Codais yn sigledig ar fy nhraed a gwthio fy wyneb yn glòs at ei hwyneb hi a gweiddi trwy'r oglau wisgi.

'Wyt ti ddim yn blydi dallt, yn nag wyt? Rydw i'n marw, reit? Dyna beth mae'r bastard ddoctor 'na'n 'i ddeud, a mae o'n siŵr o fod yn iawn. Dyna beth sy'n bod arna i, rydw i'n blydi marw, reit!'

Disgynnais yn ôl i'r gadair ac wylo'n hidl unwaith eto. Aeth Sal ar ei gliniau o'm blaen a gafael ynof ond gwthiais hi i ffwrdd yn ffyrnig nes iddi syrthio'n drwm ar y llawr. Cododd yn dawel ynghanol fy ngweiddi a sgrechian a rhoddodd glustan galed i mi'n hollol oeraidd. Yna dywedodd mewn llais distaw, tyn:

'Wel, o leiaf, cau dy ben, 'te. Meddwl am y plant, os gelli di.

'Come on. Drink this then.'

Sal was there again. Waving some kind of hot drink in front of my face. She pushed the cup against my lips, and I hurled her hand and the cup across the room until bits of Ewenni crockery were sliding all over the floor and a dark stripe of coffee appeared on the new cream settee. Sal looked thunderstruck. I yelled at her:

'Leave me alone. Will you just leave me alone? You and Dafydd fairying about like bloody . . . bugger off . . . leave me alone . . .'

To my utter disgust, I started to cry loudly, blubberingly, like some old woman. I tried to stop, but the anger as well as the self-pity added to the racket.

'You want to know what's wrong? I'll tell you what's bloody wrong. I'm dying, that's what's wrong. Bloody dying, do you hear? Is that clear enough?'

The look of complete incomprehension on her face made me extremely angry. The bitch doesn't understand at all, I said to myself. There she stands, not understanding anything, her mouth wide open and her hair all over the place. What a bloody wife! Who could hope to understand if a wife can't? Nobody understands. Nobody. I'm on my bloody own. I'm dying. This bastard is gnawing away at my insides and I can't do anything about it. And it doesn't matter a damn to anyone at all. To anyone but me. I won't be anything but a bloody stone in some graveyard, and so what? This bitch will be in bed with someone else within a month, having a great time. What's the point of being alive at all?

I got up shakily and thrust my face close to hers and shouted through the whisky fumes.

'You don't bloody understand, do you? I'm dying, right? That's what that bastard doctor says, and I expect he's right. That's what's the matter with me. I'm dying, right?'

I fell back into the chair and began to cry noisily once again. Sal went down on her knees in front of me. She tried to hold me, but I threw her off and she fell heavily on the floor. She got up quite calmly in the middle of my wailing and bellowing and clouted me hard across the face. Then she said in a thin, tight voice,

'Well, all right then, shut your noise. Think about the children, if you're capable. Whatever you reckon the matter is, shut up and sober up or I'll lock you out the back, so help me, so that the rest of

Beth bynnag sy'n bod, cau dy ben a sobra neu mi gloia i di mas yn y bac i sobri, ar fy ngwir, er mwyn i'r gweddill ohonom ni gael rhywfaint o gwsg. Mae pump ohonom ni'n byw yn y tŷ ma, nage dim ond ti.'

Edrychais yn ddwl arni, ond ymdawelais. Dechreuais fwmblan yn hunandosturiol wrthyf fy hun, ac es i gysgu, mae'n rhaid, ynghanol fy mhregeth fy hun . . . Yn awr mae hi rywbryd tua dau o'r gloch y bore. Rydw i ar y soffa o hyd, ac mae Sal wedi mynd i'r gwely. Ond mae hi wedi lapio blancedi amdanaf ac wedi gosod gobennydd dan fy mhen. Mae hi'n oer yn yr ystafell ac mae poen yn fy mol. Lle mae'r pils? Ym mhoced y gôt, lle bynnag mae honno. O, Dduw mawr, mae gen i gur pen. Ond dydy hynny ddim yn annisgwyl. Rydw i'n codi ac yn chwilota yn y tywyllwch am fy nghôt. Mae Sal wedi ei chadw yn rhywle. Mae'n rhaid cael gafael ar y pils 'na.

'Ydy o'n wir, John?'

Roedd hi wedi dod i lawr. Roedd hi'n sefyll yno wrth waelod y grisiau, yn edrych yn hawdd iawn ei niweidio yn ei thamaid o goban fregus. Roedd popeth yn fwy addas ar gyfer ffars na thrasiedi. Y wraig ar waelod y grisiau yn ei choban. Y gŵr yn ei grys a'i drôns yn chwilota ynghanol pentwr o ddillad, a'r tu ôl iddo, gwely o blancedi ar y soffa. Doedd dim llawer o urddas trasiedi yn yr olygfa.

'Beth? O, yffarn, nac ydy, siŵr . . . Rôn i wedi meddwi.'

Daeth hi ymlaen i'r ystafell ac eistedd ar y carped o flaen oerni'r tân trydan. Eisteddais wrth ei hochr, heb gyffwrdd ynddi.

'Wyt ti eisie dweud?'

'Am be?'

Symudodd hi ddim ond fe allwn i deimlo'i thyndra. Roeddwn i'n gwybod yn iawn beth oedd maint y cynddaredd a'r dryswch y tu mewn iddi. Ac eto fedrwn i ddim peidio â chwarae'r gêm. Fedrwn i ddim dweud y geiriau heb iddi hi eu tynnu allan ohonof fesul un yn groes i'r graen. Fe fyddai'r peth yn anochel, yn ddiamheuol wir, unwaith y byddwn wedi dweud y geiriau mewn gwaed oer. Fyddai dim modd troi'n ôl wedyn. Dim modd osgoi'r goblygiadau ymarferol. Beth oedd am ddigwydd i Sal a'r plant? Beth oedd yn arfer digwydd i wraig weddw a'i phlant? Roedden nhw'n cario mlaen rywsut, siŵr o fod. Ond nid gwaith hawdd i ddyn ydy meddwl am ei deulu hebddo fo. Yn arbennig am ei blant. Atebodd Sal yn dawel unwaith yn rhagor ond roedd hi'n amlwg yn agos i ben ei thennyn.

us can get some sleep. There's five of us living in this house, not just you.'

I looked stupidly at her, but I shut up. Then I started mumbling self-pityingly to myself, and, still mumbling, went to sleep, I suppose, listening to my own complaint . . .

Now it's somewhere around two o'clock in the morning. I'm still on the settee, and Sal has gone to bed. But she has wrapped blankets around me, and shoved a pillow under my head. It's cold in this room and my belly hurts. Where are the pills? In my coat pocket, wherever that is. Oh, God, I've got a headache! But that's hardly unexpected. I get up and scrabble about in the dark, looking for my coat. Sal must have kept it somewhere. I must get hold of those pills.

'Is it true, John?'

She had come down. She stood there at the bottom of the stairs, looking very vulnerable in her bit of nylon nightdress. Everything seemed much better suited to farce than to tragedy. The wife at the bottom of the stairs in her nightdress. The husband in his shirt and pants searching around in a pile of clothes, and behind him a bed of blankets on the settee. Not much tragic dignity there.

'What? Oh hell, no, of course not . . . I was just drunk.'

She came on into the room and sat on the carpet in front of the cold electric fire. I sat by her side, without touching her. There's nothing as cold as a cold electric fire.

'Do you want to tell me?'

'What?'

She didn't move away, but I could feel how tense she was. I knew very well how great was the anger and the bewilderment inside her. And yet I couldn't help playing the game. I couldn't tell her without her dragging it out of me gradually, painfully, word by word. The thing would be final, incontrovertible, once I had said the words in cold blood. There would be no turning back then. No way of avoiding the practical implications. What was going to happen to Sal and the children? What usually happened to a widow and her children? They just carried on somehow, I supposed. But it isn't easy for a man to think of his family when he's gone. Especially about his children. Sal answered calmly once again, but she was obviously close to breaking-point.

50

'John, dydw i ddim erioed wedi dy blagio di i ddweud pethau wrtho' i. Fe fyddai'n anghywir i ddweud na fu dim cyfrinachau rhyngom ni erioed. Ond dydw i ddim wedi holi am dy gyfrinachau di na ti am fy nghyfrinachau i. Rwy'n gwybod i ti gael merch arall o leiaf unwaith . . .'

Roedd hi'n chwarae'n ddiwyd â phatrwm y carped a'i chefn ataf, yn grynedig ond yn benderfynol. Wyddwn i ddim ei bod yn gwybod. Ond dyna fo, maen nhw'n dweud fod gwŷr yn aml yn eu twyllo eu hunain nad ydy'r gwragedd ddim yn gwybod.

'Wn i ddim pwy oedd hi – rwy'n falch o hynny – wn i ddim pa mor bwysig oedd hi. Rwy'n gwybod na pharodd hi ddim yn hir. Ond roedd e'n uffern ar y pryd.'

Doedd y peth ddim yn bwysig. Os gellir dweud, hynny yw, fod cyplu'n gallu bod yn ddibwys dan unrhyw amgylchiadau. Dydy o ddim, wrth gwrs. Mae'r weithred rywiol ynddi ei hunan yn creu cwlwm mwy parhaol na'r cydiad corfforol byrhoedlog rhwng dyn a dynes. Hyd yn oed yn y gyfathrach fasnachol rhwng putain a chwsmer mae effaith y cyswllt yn ymestyn ymhellach o lawer na phum munud, deng munud, hanner awr, ac ystafell dan glo.

Roeddem ni'n digwydd bod ar daith gyda'r tîm yn Ffrainc. Roedd Phil yn adnabod un teulu Ffrengig yn dda. Fe aethom ni atyn nhw am ginio. Roedd tair merch yn y teulu ac roedd Phil ar y pryd yn cyfeillachu'n glòs iawn â'r hynaf ohonyn nhw. Fe fu sôn am briodi hyd yn oed. Yn y diwedd fe ddaeth o'n ôl i Frynaman i chwilio am wraig. Ond tra buom ni yn Ffrainc fe ddigwyddodd un o'r pethau cyflym, direswm hynny rhwng ei chwaer ieuengaf a minnau. Ar y pryd mae'n ymddangos yn dyngedfennol. Fis neu ddau yn ddiweddarach mae'n anodd iawn credu fod unrhyw beth wedi digwydd o gwbl. Ond mae o wedi digwydd. A bellach, bum mlynedd yn ddiweddarach, mae'n dal yn fyw, mewn ffordd. Does gen i ddim awydd o gwbl – doedd gen i ddim awydd o gwbl – i adael Sal a'r plant a mynd i ffwrdd i fyw hefo Juliette yn Moulins yn yr haul. Dim awydd o gwbl. Ond pe bawn i'n mynd i Moulins yfory ac yn cwrdd â Juliette fe fyddai'r peth yn fyw. Mae rhywbeth wedi ei greu rhyngom sy'n barhaol. Yn barhaol? Beth sy'n barhaol? Mae'r coed afalau yn yr ardd yn fwy parhaol na mi, ac yn fwy parhaol nag unrhyw deimladau sy'n perthyn i mi, pa mor angerddol bynnag maen nhw'n ymddangos am dridiau. Ond mae'n barhaol mewn termau dynol.

'John, I've never pestered you to tell me things. It wouldn't be true to say that there have never been any secrets between us. But I haven't asked you to tell me your secrets and you haven't asked me to tell you mine. I know you've had another woman at least once . . .'

She was playing carefully with the edge of the carpet, her back thrust against me, trembling but determined. I didn't know she knew. But there it is, they say husbands often kid themselves that their wives don't know.

'I don't know who she was – I'm glad I don't know. I don't know how important she was. I know she didn't last long. But, God, it hurt at the time.'

It hadn't been important. If you can say, that is, that sexual intercourse can be unimportant under any conditions. You can't, of course. The sexual act, in itself, creates a far more lasting bond than the actual brief joining of a man's and a woman's bodies. Even in the commercial coupling of a prostitute and her customer the effect of the contact lasts much longer than five minutes, ten minutes, half an hour in a locked room.

We happened to be on tour with the team, in France. Phil knew one particular French family very well. We went to have dinner with them. There were three daughters, and Phil was getting on very well with the eldest of them at that time. There was even talk of marriage. In the end, Phil went back to Brynaman to look for a wife. But while we were in France, one of those sudden, irrational things happened between me and the youngest daughter. At the time, such things seem fated, cataclysmic, spelt out in the stars. A month or two later, it's often difficult to realise that anything at all has happened. But this did happen. And now, five years later, it is still alive, in a way. I haven't the slightest desire – I never did have the slightest desire – to leave Sal and the children and go and live with Juliette in the sunshine of Moulins. No desire at all. But if I went to Moulins tomorrow and met Juliette, the thing would still be alive. Something permanent was created between us. Permanent? What is permanent? The apple trees in the garden are more permanent than me, and more permanent than any feelings that belong to me, however eternal those might seem for two or three days. But it is permanent in human terms.

Dechreuodd y peth yn y math o gellwair caru y byddwn ni i gyd yn euog ohono rywbryd neu'i gilydd. Yna, yn y broses o edrych yn wamal dros y bwrdd, gwelodd y naill ohonom ni wahoddiad i'r gwely yn eglur iawn yn llygaid y llall. Mae'n sicr ein bod wedi gweld yr un gwahoddiad ddigonedd o weithiau mewn llygaid eraill. Pam y mae'r cellwair yn troi'n ddifrif mewn un achos yn hytrach nag mewn ugain o achosion eraill, pwy a ŵyr? Ond roedd y penderfyniad wedi ei wneud dros y bwrdd cinio heb i'r naill na'r llall ohonom yngan gair. Fel plant cyfrwys gwnaethom esgusion dwl i fynd allan o'r tŷ. Cwrdd wedyn yn y math o hen sgubor Ffrengig oedd yn anhygoel debyg i'r rhai a welir mewn ffilmiau o'r Natsïaid yn trampio trwy ffermydd Ffrainc ac yn gwthio picweirch i guddfannau mewn teisi gwair yn ystod yr Ail Ryfel. Caru yn y sgubor wedyn, yn dyner ac yn felys, a heb unrhyw deimladau o euogrwydd nac o ofn ar y pryd. Nac wedyn chwaith, am wn i. Ysgrifennodd hi un llythyr a minnau un llythyr ar ôl i mi ddychwelyd i Gymru, ond dyna'r cyfan. Wyddwn i ddim fy mod wedi bradychu unrhyw deimlad am y digwyddiad i Sal o gwbl. Wyddwn i ddim fod effaith y digwyddiad i'w weld arnaf mewn unrhyw ffordd unwaith y gadewais Ffrainc. Sut y gallai fod yn uffern iddi? Beth a barodd iddo greu'r fath effaith?

'Ond rydw i eisie gwybod nawr, John. Dwyt ti ddim erioed wedi ymddwyn fel y gwnest ti heno. Mae rhywbeth pwysig yn bod. Rydw i eisie gwybod.'

Disgynnodd distawrwydd oriau mân y bore dros yr ystafell. Doedd dim sŵn i'w glywed o ystafelloedd y plant. Roedd y tri'n cysgu'n dawel iawn. Aeth car heibio i'r ffenest, gan gyflymu wrth fynd heibio, a sŵn y peiriant yn dyfnhau wrth i'r car droi'r gornel a dringo allan o'r ddinas.

'Rydw i'n sâl.'

'Sâl?'

'Mae *cancer* arna i.'

Pa mor bell y medrwn i fynd? Oedd hyn yn ddigon? Fedrwn i ddim dweud rhagor wrthi hi. Fedrwn i ddim. Roedd hi wedi troi ar drawiad i edrych arnaf cyn gynted ag y clywodd y gair. Does dim un gair yn creu mwy o ofn. Ond roedd Sal yn ei wynebu, yn troi a throsi'r goblygiadau yn ei meddwl. Roedd hi'n welw, ond yn mynnu gwybod.

'Pa mor ddrwg?'

It started with the kind of flirting we are all guilty of at some time or other. Then, in the process of looking at each other across the table, both of us saw an invitation to bed written very clearly in the other's eyes. No doubt we had both seen the same invitation plenty of times in other eyes. Why does the fantasy become reality in one instance, and just dissolve in the light of day in all the rest? Who knows? The decision was made at the dinner table without either of us saying a word. Like crafty children, we made complex excuses to get out of the house. Then we met in an old French barn, just like the ones you see in films where Nazis tramp through French farms and thrust their bayonetted rifles into haystacks. Then we made love, sweetly and gently, and without any sense of shame or guilt at the time. Nor afterwards either, where I was concerned. Not really. She wrote one letter and I wrote one letter, after I had returned to Wales, but that was all. I never knew that I had betrayed any aspect of that episode to Sal at all. I didn't know that the effect of it was in any way visible once I had left France. How could it have hurt her so much?

'But I want to know now, John. You've never behaved like you did tonight. There is something wrong. Something very important. You must tell me.'

The stillness of the early hours descended on the room. There was no sound to be heard from the children's rooms. The three always slept like logs. A car passed by the window, accelerating as it went by, and the sound of the engine deepened as the car turned the corner and climbed out of the city.

'I'm ill.'

'Ill?'

'I've got cancer.'

How far could I go? Was this enough? I couldn't tell her any more. I couldn't. She immediately turned to face me as soon as she heard the word. No one word ever creates a greater reaction. But Sal was facing it, turning its implication over in her mind. She was pale, but she insisted on knowing.

'How bad?'

Dyna fo'r cwestiwn. A beth oedd yr ateb? Roedd llawer o atebion posibl. Celwyddog obeithiol. Ansicr. Lled-besimistaidd. Y gwirionedd. Rhoddais yr ateb mwyaf niwtral y gallwn ei ynganu'n ddiogel.

'Mae o bob amser yn ddrwg.'

'Ydy. Mae e.' A chofiais fod ei Hewythr William, ei hoff ewythr, wedi marw o'r clefyd. Roedd hi'n hoff iawn ohono. Roedd hi wedi ei weld yn dioddef yn yr wythnosau olaf. Fe wyddai hi fod y cancr yn ddrwg.

'Wyt ti'n gorfod mynd i mewn i'r ysbyty?'

'Na. Na. Ddim nawr.'

'Fyddan nhw'n gallu dy drin di adref?'

'M-hmm.'

'Beth am y gwaith? Fyddi di'n gallu gweithio?'

'Byddaf. Fe fydda i'n cario mlaen i weithio.' Dyna fo. Fel yna yr oedd hi i fod, ynte. Peidio â mynd i'r ysbyty. Dal i weithio. Dal i fyw. Hyd nes y byddai hithau'n gweld drosti ei hun. A chelu wedyn yn amhosibl.

'Tyrd lan i'r gwely, 'nghariad i. Tyrd i orffwys yn iawn.' Helpodd fi i fyny'r grisiau'n gariadus, yn dyner, nyrs yn helpu'r claf. Nyrs heb ddeall natur y clefyd. Nid deall, wedi'r cyfan, ydy ei busnes hi. Cysuro ydy ei swyddogaeth hi. Mae Sal yn un dda am gysuro.

Ionawr 15

I'r chwaraewr mae diwrnod y gêm yn wahanol i bob diwrnod arall. Mae hyn yn siŵr o fod yn wir gyda phob math o gêm ar bob lefel. Rwy'n gyfarwydd iawn â nerfusrwydd a chynnwrf tawel fy mechgyn i yn y coleg ar fore gêm bwysig o unrhyw fath, o'r tîm socer i'r tîm tenis-bwrdd. Rwy'n gyfarwydd â'r profiad o gerdded ar gae criced ben bore i deimlo'r gwlith. Ond rwy'n fwyaf cyfarwydd â gwefr diwrnod y gêm, wrth reswm, ym myd rygbi.

Mae rhywun yn deffro ben bore'n gwbl ymwybodol mai heddiw yw'r diwrnod. Mynd at y ffenest wedyn, yn drydanol effro, i ddadansoddi'r tywydd. Trwy'r bore mae rhywun yn cerdded o gwmpas mewn breuddwyd. Mae'r cyfan o fywyd, yn gorff a meddwl, egni a dychymyg, wedi ei ganoli'n llwyr ar un foment arbennig yn y prynhawn ac ar un darn hirsgwar o dir.

This was the question. And what was the answer? There were plenty of possible answers. A hopeful lie? Ambivalence? Qualified pessimism? The truth? I gave the most neutral answer I could trust myself to articulate convincingly.

'It's always bad.'

'Yes. It is.'

And I remembered that her Uncle William, her favourite uncle, had died of cancer. She had been very fond of him. She had seen him suffer during the final weeks. She knew that cancer was bad.

'Do you have to go in to hospital?'

'No. No. Not just yet.'

'They'll be able to treat you at home?'

'M-hmm.'

'What about your work? Will you be able to go on working?'

'Yes. I shall go on working.'

That was it. That was how it was to be then. A limited truth. I wouldn't go into hospital. I would carry on working. Carry on living. Until she could see for herself.

'Come up to bed, love. So that you can rest properly.'

She helped me up the stairs lovingly, tenderly, a nurse tending the sick. A nurse who didn't know the nature of the disease. But diagnosis, in any case, is not a nurse's concern. Her function is to comfort. Sal is good at comforting.

January 15

For the player, the day of the game has a different quality from every other day. This is no doubt true about every game at every level. I'm very familiar with the nervousness and the quiet excitement of my lads in the college on the morning of an important game of any kind, from championship soccer to table tennis. And I'm familiar with the experience of walking onto a cricket field in the early morning, with the dew thick on the grass. But I'm most familiar, naturally, with Saturday excitement in the world of rugby.

You wake up in the morning entirely aware that today is the day. Then you go to the window, tinglingly alive, to analyse the weather. All morning, you walk about in a dream. All life, mind and body, energy and imagination, is centered on one particular moment in the afternoon, and one rectangle of earth.

Ac i'r cyn-chwaraewr a fu unwaith yn chwarae mewn gemau cydwladol ei hunan mae diwrnod gêm fawr yng Nghaerdydd yn dal i gyflymu'r gwaed. Mae dyn yn dal i godi i'r ffenestr i edrych ar y tywydd. 'Da iawn. Fe fydd hi'n sych iddyn nhw heddiw.' Mae dyn yn dal i gerdded trwy'r bore mewn rhyw fath o berlewyg tenau. Ond iddo fo, wrth gwrs, mae'r breuddwyd yn arwain yn ôl i'r gorffennol. Does neb tebyg i bobl y chwaraeon am hiraethu am yr hen ddyddiau, am ddweud straeon manwl, cymhleth am ddigwyddiadau pell ar orwel y cof a'u hail-fyw'n gyflawn ac angerddol. Dwn i ddim chwaith am unrhyw weithgarwch dynol, o leiaf yn ystod y ganrif fecanyddol hon, sy'n fwy galluog i ysgogi dyfnderoedd o felyster rhamantus ac o deimladau tyner na brwydrau'r maes chwarae. I'r Sais, criced, at ei gilydd, oedd yn arfer cyffwrdd â'r galon. Am genedlaethau roedd y darlun o lesni cae criced mewn pentref, y dderwen fawr ar fin y ffordd a haul yr hwyrnos yn taflu cysgodion anferth ar draws y chwaraewyr, sŵn bat ar bêl, a'r mân siarad o gwmpas yr ymylon, yn symbol o wareiddiad i'r Sais, yn ysgogi cariad di-ofn a pharhaol yn ei galon. Rwy'n gallu teimlo'r un peth fy hun. Mae'n anodd meddwl am well ymgorfforiad o'r drefn heddychlon a ddylai fodoli ym myd dynion na'r cyfuniad o ymdrech ac egni a thensiwn y tu mewn i ffurfioldeb set a chadarn a hamddenol ei fframwaith a geir mewn gêm griced.

Ond i'r rhan fwyaf o Gymry, rygbi sy'n ysgogi'r teimladau hyn. Mae rhesymeg hollol amlwg y tu ôl i'r peth. Mae'r naill genhedlaeth yn dilyn y llall yn ddychrynllyd o gyflym ym myd chwaraeon. Ac yn arbennig felly gyda gêm gorfforol galed fel rygbi. Am ychydig flynyddoedd mae'r chwaraewr medrus ar ganol y llwyfan, yn teimlo cynnwrf y rhedeg a'r ergydion corfforol, cyffyrddiad hollol unigryw y bêl rhwng cledrau'r dwylo, ac os digwydd iddo chwarae ar lefel uchel, sŵn y dorf yn y cefndir.

Ond i mi'n bersonol doedd sŵn y dorf ddim yn bwysig iawn yn ystod y gêm ei hunan. Ar y diwedd, wrth gwrs, a ninnau wedi ennill a phobl yn llifo ar draws Parc yr Arfau, sgarffiau'n chwifio, pob math o greaduriaid, hanner-meddw'n aml, nad oeddwn i ddim erioed wedi eu gweld o'r blaen, yn mynnu ysgwyd llaw, curo cefn, gweiddi rhyw gyfarchiad – oedd, ar ddiwedd y gêm, roedd y dorf yn bwysig. Y dorf, mewn ffordd, oedd y wobr. Yr oedd yr hanner munud byr o gerdded ar draws y cae tuag at yr ystafell newid yn

And for the ex-player who used once to share these feelings on international day, the day of a big game in Cardiff still quickens the blood. He still goes to the window to analyse the weather. 'Good. It's going to be a dry day for them today.' He still walks around all morning in a fine, controlled ecstasy.

But for him, of course, the dream leads back into the past. There's no one to compete with sportsmen in the matter of nostalgia, in the business of telling detailed, complicated stories about distant events somewhere on the horizon of memory, and re-living them with suffocating enthusiasm. Nor do I know of any human activity, at least during this mechanical age, with the exception perhaps of the murderous activities of war, that are more able to engender depths of sweet romanticism and rampant sentimentality. For the Englishman, cricket used to be able to move him to the heart's core in this way. For generations, perhaps for a whole century, the image of the village green, a great oak leaning over into the roadway and the evening sun throwing huge shadows over the slow-moving players, the sound of bat striking ball and quiet voices murmuring around the boundary, was such a forceful symbol of civilisation for the Englishman that it generated a constant and fearless love in his heart. I can feel something of it myself. It is difficult to think of a better embodiment of that peaceful order which should exist in the world of men than the combination of effort and concentration within a fixed and complex and leisurely framework that is the whole environment of a game of cricket.

But for most Welshmen, it's certainly the game of Rugby Football that stirs up these emotions. And there's a very clear reason for it. One generation follows another with remarkable speed in the world of sport. And particularly so in a tough, physical-contact sport like rugby. For a few years, the skilful player takes the center of the stage, feels the excitement of the physical challenge, the unique sense of a ball held between the palms of his hands, and if he happens to play in important matches, the roar of a crowd in his ears.

For me, though, the roar of the crowd never counted for much during the game itself. At the end, of course, when we had won and people poured across the Arms Park, scarves waving, all kinds of characters, often half-drunk, that I had never seen before, insisting on shaking me by the hand, thumping me on the back, shouting

fwynhad pur, os oeddem ni wedi ennill. Ond yn y dyddiau hynny, cyn geni Ail Oes y Cewri, roedd hi'n bosibl i dîm Cymru golli yng Nghaerdydd. Fe chwaraeais i ddwywaith ar achlysuron felly. Rwy'n credu fod pob un ohonom yn wylo'n fewnol wrth fynd oddi ar y cae ar ôl colli, pob un. A rhai blaenwyr cryfion yn wylo'n allanol. Oherwydd mae'r syniad Seisnig o chwarae'r gêm er mwyn y gêm yn amherthnasol i ni'r Cymry, cyn belled ag y mae rygbi yn y cwestiwn. Beth bynnag a ddywed rhai uchelwyr Seisnig-Gymreig wrth giniawa yn Llundain a Chaerdydd, gêm rygbi gydwladol yw'r unig gyfle i genedl y Cymry osod ei hunan yn gwbl fentrus-agored mewn cystadleuaeth â chenhedloedd eraill. Yn ddi-Senedd, yn israddol ar lawer ystyr, ar y cae rygbi rydym ni cystal â'r byd. Ond gan mor ddwfn yw'n hymdeimlad ni o israddoldeb mae'n rhaid i ni brofi hynny drosodd a throsodd a throsodd. Mewn ffordd arbennig iawn nid yw safon rygbi Cymru, i'w ddilynwyr, ond gystal â'r gêm ddiwethaf, a dim mymryn gwell na hynny. O ganlyniad mae cerdded oddi ar Barc yr Arfau a Chymru wedi colli yn cynhyrfu dyn i'w ymysgaroedd. Mae'r dorf yn ddistaw. Mae ymdeimlad o drasiedi ym mhobman. Ac mae distawrwydd torf lawn yn y lle ardderchog hwnnw yn brofiad hunllefus. Dydy o ddim i fod yn lle distaw. Mae o i fod yn bair berw-wyllt o deimlad angerddol. Mae fel pe bai trigain mil o bobl mewn angladd cyhoeddus, yn ofni dweud dim rhag ofn i'r argae llwyd ffrwydro'n ddilyw o ddagrau.

Ar ddiwedd y gêm, ydy, mae'r chwaraewr cydwladol yn gwbl ymwybodol ei fod wedi chwarae er mwyn y dorf. Mae pob un o'r dorf wedi sefyll yn ei esgidiau ef trwy'r gêm. Ef sy'n sefyll dros eu dyheadau hwy. Os methodd o, mae'r methiant yn rhan o'u bywydau hwy am wythnosau. Ar un wedd, am byth. Ond yn ystod y gêm, i mi beth bynnag, doedd y dorf ddim yn bod. Dim ond y ddaear dan fy nhraed, a sialens dynion eraill, a'm hysgyfaint ar rwygo wrth redeg am y lein. Fel asgellwr dyna oedd y profiad mwyaf, wrth gwrs. Dyma bwrpas asgellwr. Fo ydi'r dyn sydd yno er mwyn cwblhau'r patrwm. Er mwyn saethu'r ergyd derfynol. Croesi'r lein a sgorio'r cais. Ac unwaith y mae'r asgellwr wedi derbyn pàs sy'n rhoi cyfle iddo sgorio, dyna hi. Mae'r cyfrifoldeb i gyd yn ei goesau fo wedyn. Does dim yn bod ond y llinell a'r rheidrwydd i'w chyrraedd. Ac wedyn y llam orfoleddus olaf a'r ardrawiad yn erbyn y ddaear. Mae'r sbrint am y lein yn ymdrech

some familiarity at me – 'Bloody great, John, you were bloody great' – yes, at the end of the match the crowd was important. The crowd, in fact, was the reward for winning. But, in those days before the Second Golden Age had dawned, it was possible for a Welsh team to lose on Cardiff Arms Park. I played twice on such occasions. I believe every one of us wept inwardly as we left the field on those occasions – every one of us. And some great shambling forwards wept outwardly. Because the English concept of playing a game for the game's sake is quite foreign to us, as far as rugby is concerned anyhow. Whatever some blue-blooded Anglo-Welshmen may say at posh dinners in London and Cardiff, an international rugby match is still the only real opportunity Wales has of setting itself up in comparison with other nations on an equal basis. We may be lacking in political consciousness, in social know-how, in God knows how many aspects of civilised living, but on the rugby field we are as good as the next man. But so deep is our sense of inferiority, we have to prove it over and over and over. In a very special sense, Welsh rugby, for its followers, is as good as the result of the last international, and no better. And so, walking off Cardiff Arms Park as a member of a losing Welsh team is a shattering experience. The crowd is silent. There is a sense of disaster. The silence of a huge crowd in that marvellous cauldron of sound is a dreadful thing. The place isn't made to be quiet.

So, at the end of the game, an international player becomes conscious that he has played on behalf of others. Every member of the crowd has stood in his shoes throughout the game. He stands for their aspirations. If he has failed, his failure becomes a part of their lives for weeks. In one sense, for ever. But during the game, for me at least, the crowd didn't exist. Only the hard ground under my feet, the challenge of other bodies, and my lungs bursting as I made for the line. As a wing three-quarter, that, of course, was the crowning experience. That's the purpose of a wing. He is there to complete the pattern. To deal the final blow. To cross the line and score. And once the wing has received the pass which gives him a scoring opportunity, there it is. The whole responsibility rests with him then. Nothing exists but the line and the compelling need to cross it. And then the final triumphant leap and the thudding impact of ball, arms and body hitting the ground. The sprint for the line is

bur. Mae pawb a phopeth arall yn amherthnasol. Mae'n foment hollol hunanol. Dyma nefoedd yr asgellwr.

Doeddwn i ddim yn ymwybodol iawn, yn ystod y gêm ei hunan, p'run ai chwarae i Gymru ynteu chwarae mewn gêm gyfeillgar yn erbyn rhyw dîm o fechgyn ysgol yr oeddwn i. Wrth gwrs, roedd yr holl fframwaith, lefel y paratoi a'r tensiwn mewnol ymlaen llaw, heb sôn am natur y gwrthwynebwyr, yn golygu fy mod i'n galw ar lawer mwy o adnoddau mewn gêm fawr. Ond doeddwn i ddim yn gwneud hyn mewn modd ymwybodol. Cyn belled ag y gwyddwn i y gêm oedd yn bwysig, beth bynnag oedd yr achlysur, y cyfle i brofi i mi fy hun fy mod i'n gallu rhedeg, ochrgamu, cyflymu, trafod pêl, a churo'r amddiffynfa i'r gornel cystal ag y gallwn i yn y gêm ddiwethaf.

Am ychydig flynyddoedd mae hyn i gyd yn ganolog i fywyd y chwaraewr. Ac yna mae'n dechrau arafu. Mae'n cael ei ddal yn amlach. Yn ôl pob cyfrif arall mae'n ddyn ifanc. Mae'r rhan fwyaf o'i fywyd o'i flaen. Ond yn nhermau'r gêm mae wedi dechrau heneiddio. Mae prynhawn ei yrfa drosodd. Cyn hir mae'n cael ei hun yn sefyll ar y llinell, yn gwylio, yn hyfforddi. Mae'n dal yn ifanc. Mae'n medru ymarfer fel erioed. Rhedeg lapiau. Trin pêl. Mae'n gwybod yn well nag erioed o'r blaen beth ddylid ei wneud mewn unrhyw sefyllfa. Ond bellach nid yw'r adnoddau corfforol ar gael i ateb y sialens gystadleuol. Mae bechgyn ifainc, a fu unwaith yn blant bychain amherthnasol i'w gryfder ef, yn symud yn gyflymach nag ef. Mae caledi cyhyrol eu cyrff yn ei daro i'r ddaear yn rhy aml. Ac felly, er bod pob rhithyn o'i fod yn dyheu am gyffyrddiad y ddaear a'r bêl, mae'n rhaid iddo sefyll ar y llinell, gwylio, hyfforddi. Dydy hi ddim yn syndod o gwbl ei fod yn storio atgofion o'r hen gynnwrf yn ei gof. A'u cadw yno am byth. A'u dweud hyd at ddiflastod wrth bobl nad ydyn nhw ddim eu hunain yn hen chwaraewyr. Dydy'r gwrando ddim yn ddiflastod o gwbl i ddyn sy'n hen chwaraewr ei hun. Dydy'r hen chwaraewr byth yn blino ar straeon hen chwaraewyr eraill. Pan mae'r bod cyffredin yn suddo i ganol-oed ac o'r diwedd i'w henaint, ac yn colli pob gafael ar ramant, gan fod rhamant o unrhyw fath yn dibynnu, wedi'r cyfan, ar lendid corff, mae'r hen chwaraewr o leiaf yn dal i gydio yn ei gynffon.

Fe godais i heddiw, ac ar ôl dyddiau caled o rew ac eira roedd hi'n fore heulog braf. Teimlais lawenydd syml. Teimlais hefyd y brath cyfarwydd yn fy mol, ond llyncais ddwy bilsen ymron yn

purity of effort. Everyone and everything else is irrelevant. It is a moment of total concentration. This is the wing's heaven.

I was never very conscious, during the game itself, whether I was playing for Wales or for some scratch side against a team of schoolboys. Obviously, the whole framework, the level of preparation and the internal tensions beforehand, not to mention the quality of the opposition, meant that one called upon far more resources during a big game. But all this was never consciously applied. As far as I was concerned, it was the game itself that was important, whatever the occasion, the opportunity to prove to myself that I could run, sidestep, accelerate, handle a ball, and beat the covering defence to the corner flag as well as I had been able to in the previous game.

For a few years, as I said, all this is central to the life of a player. Then he begins to slow down. He gets caught more often. According to most calculations, he is still a young man. Most of his life has yet to be lived. But in the terms of the game, he has begun to age. The golden afternoon of his career is already over. Before long, he finds himself standing on the touchline, watching, coaching. He is still young. He can train just like he always used to. Run laps. Handle the ball. He knows now better than he ever did how to read the game, what to do in any particular situation. But now the physical resources just cannot respond to the mental demands. Young lads, who were recently small boys, irrelevant to his strength and power, can now move faster than he can. The muscular hardness of their bodies thumps him to the ground too often. And so, although all his nerve-ends long for the contact of the ground and the ball, he stands on the touchline, watching, coaching. It isn't surprising that he stores up images of old battlegrounds in his mind. And keeps them there for ever. And tells them insistently to unsympathetic listeners who are not themselves ex-players. Listening is no penance to a man who has played himself. When the ordinary mortal sinks slowly into middle age and in the end into rambling senility, and loses all sense of the towering romance of youth, for romance, of any kind, depends, after all, on physical beauty, the old player still hangs on to its tail.

I got up today, and after bitter days of snow and ice, it was a fine sunny morning. I felt a simple joy. I felt also the familiar cramp in my belly, but I swallowed the two pills, impatiently almost, and

ddiamynedd a chyrraedd am fy nillad. Roeddwn am fynd allan i deimlo awyrgylch y strydoedd ben bore, i alw ar Tom cyn gynted ag y gallwn, gan fod neges wedi dod rywdro yn ystod y parti uffernol ei fod am i mi wneud sylwadau ynghanol y sylwebaeth radio sain Cymraeg ar y Radio Cymru newydd. Roedd pwy bynnag oedd i fod i wneud y gwaith wedi mynd i lawr hefo'r ffliw. Am heddiw doedd y Cythraul y tu mewn i mi ddim am amharu ar yr hwyl. Roeddwn i am fwynhau'r diwrnod. Am ddod yn rhan o'r miri unwaith eto. Diflannodd pob diflastod wrth i mi feddwl am y gêm, ac edrychodd Sal arna i o'r gwely.

'Lle rwyt ti'n mynd, 'te? Mae hi'n fore Sadwrn.'

'I weld Tom. Ynglŷn â'r rhaglen.'

'Tom?' Cyrhaeddodd yn gysglyd am y cloc larwm ar y bwrdd wrth ymyl y gwely. Syllodd arno trwy lygaid hanner-cau. 'Tom? Dyw hi ddim ond wyth o'r gloch. Fydd Tom ddim wedi codi 'to. Beth sy'n bod arnat ti?'

Wyddwn i ddim, i fod yn onest, beth oedd yn bod arnaf. Roedd rhyw benysgafnder direswm wedi fy meddiannu, yn mynnu gwthio pob cwmwl o'r neilltu, yn mynnu anghofio realiti pethau, yn fy ngyrru allan i flasu'r byd.

Fel y proffwydodd Sal, synnodd Tom pan gerddais i at ei ddrws cefn a chnocio ar y ffenestr. Ond mae Tom hefyd yn hen chwaraewr. Roedd o wrthi hi'n darllen tudalennau ôl y papurau'n eiddgar, cwpaned o goffi oer wrth ei benelin.

'Mae'r *Guardian* yn rhoi cymaint o sylw i Gymru ag i Loegr y bore 'ma,' meddai. 'Dyna beth ydy Oes Aur. Gefaist ti'r neges?'

'Do, do.'

'Sut wyt ti'n teimlo'r bore 'ma, 'te?'

Gydag edrychiad slei o gornel ei lygaid. Ond doedd tôn ei lais ddim yn hollol wamal. Roedd islais o bryder ynddo. Mae'n anodd credu hynny, ond doeddwn i'n cofio fawr ddim am lanast neithiwr. Ond wrth edrych ar wamalrwydd wyneb Tom llifodd y cyfan yn ôl. Llifodd diflastod gydag o. Gallwn ei deimlo'n flas drwg ar fy nhafod, yn ddüwch dros addewid y diwrnod. Gwelodd Tom ar unwaith beth oedd effaith ei gwestiwn a newidiodd y pwnc yn syth. Ond roedd y drwg wedi ei gyflawni. Arhosodd y cwmwl wedyn am weddill y bore. Y gêm ei hunan yn unig a fynnodd ddisgleirio trwodd yn y diwedd.

reached for my clothes. I was going to go out to savour the atmosphere of the early morning streets, to call on Tom as early as I could. A message had come through some time during that godforsaken party that he wanted me to contribute occasional comments during the Welsh-language sound commentary on the new Radio Cymru network. Whoever was supposed to do it had gone down with flu. I was going to enjoy the day. All yesterday's desperation contracted into a tiny cloud at the back of my mind as I thought about the game. Sal looked at me from the bed.

'Where are you off to then? It's Saturday morning.'

'To see Tom. About the programme.'

'Tom?'

She groped sleepily for the alarm clock, and peered at it through half-closed eyes.

'Tom? It's only just eight o'clock. Tom won't be up yet. What's got into you?'

I couldn't tell her what had got into me. A kind of frivolous light-headedness had taken over, insisted on throwing all caution and common sense to the winds, was pushing me out into the wide world.

As Sal had prophesied, Tom was surprised when I walked round the back and knocked on the kitchen window. But he wasn't in bed. Tom too is an old player. He was eagerly reading the back pages of the newspapers, a cup of cold coffee at his elbow.

'The *Guardian* is giving as much space to Wales as it does to England this morning,' he said, 'that's what you do call a Golden Age. Did you get my message?'

'Yes, yes.'

'How are you feeling this morning then?'

With a sly look out of the corner of his eye. But the tone of his voice wasn't entirely facetious. I could sense an undertone of anxiety in it. So far this morning, I had hardly recalled anything of last night's performance. But now, as I looked at Tom's face, it all flooded back. Disgust flooded back with it. I could feel it on my tongue, a bilious bitterness threatening to nag away at the day's freshness. Tom saw the effect of his question at once, and immediately changed the subject. But the harm had been done. The black cloud stayed with me then.

'Roedd llawer o sôn yn y clwb y dyle fod Elgan yn chware yn lle J.J. . . . Mae'r farn yn eitha pendant. Beth wyt ti'n ei feddwl?' Roedd Tom yn gwybod yn iawn sut i ennyn ymateb mewn asgellwr. Sôn am asgellwr arall. 'Dwn i ddim be' ddiawl sy'n bod arnyn nhw. Pwy arall sy'n gallu sgorio ceisiau cicio-a-rhedeg J.J.? Neb. Ac oni bai dy fod ti'n Gerald, dwyt ti ddim yn debyg o sgorio o'r asgell mewn modd confensiynol mewn gêm gydwladol dynn. Mae'r amddiffynfa'n rhy dda. Fe fyddwn i'n chwarae J.J. unrhyw bryd . . .'

Roeddwn wedi dringo ar gefn fy ngheffyl, ac er gwaetha'r cof am neithiwr fedrwn i ddim maddau. Ymlaen â ni i draethu. Draw wedyn i'r clwb am beint . . . wel, dyna oedd y bwriad, ond fe gofiais mewn pryd beth oedd effaith hynny neithiwr. Roedd yn well i mi gadw'n hollol glir heddiw, rhag ofn. Doeddwn i ddim am golli'r gêm. Yr unig beth i'w wneud oedd hau jôcs am bartïon, am forthwylion y tu mewn i'r pen, a gofyn am sudd tomato.

Roedd pawb, wrth gwrs, yn dyfalu beth fyddai effaith y bwlch a adawyd gan Merfyn Davies, ond roedd pawb hefyd yn llawn hyder. Dydy hi ddim syndod yn y byd fod y Saeson wedi laru ar orhyder y Cymry yn ystod y blynyddoedd hyn. Does dim amheuaeth, rydym ni'n enillwyr gwael. Yn llawn sŵn a gorhyder.

O'r clwb ymlaen i'r stadiwm yn gynnar, er mwyn i Tom sicrhau fod popeth yn ei le, ac er mwyn i minnau gyfarwyddo â'r profiad newydd o wylio gêm o'r bocs darlledu. Fel mater-o-ffaith dydw i ddim yn hoff iawn o'r North Stand. Yn yr hen South Stand mae dyn yn ddigon agos i'r chwarae i flasu ergydion y rhyfel. Mae modd gweld chwys ar wyneb a gwir effaith tacl galed ar y sawl sy'n cael ei daclo. Mae'r chwaraewyr yn fodau cig a gwaed, yn ymdrechu ac yn bustachu, yn gwaedu ac yn dioddef, yn anadlu'n weladwy yn yr awyr oer. O urddas y North Stand mae'n hawdd gweld sut y gallai'r hen ymerawdwyr yn Rhufain droi'r bawd i lawr. Rwy'n cofio sefyll ar lwyfan y llywodraethwr yn yr *arène* ardderchog yn Nîmes ac edrych i lawr y rhengoedd maith o seddau carreg i'r cylch bychan yn y gwaelod, lle'r arferid ymladd hyd at farwolaeth. Mae'r gwaed yn y pridd o hyd dan loriau'r lle, ond o'r uchafbwynt lle'r eisteddai'r mawrion doedd dim realaeth i'r peth. Gellid anghofio fod bodau dynol wrthi hi'n ymlafurio. Gêm oedd y cyfan. Gêm a chwaraeid gan bypedau. Doedd bywyd a marwolaeth ddim yn rhan o'r patrwm. Felly rywsut o'r North Stand. Mae popeth yn bell, yn

'Lots of people in the club thought Elgan should have been playing instead of J.J. . . . pretty general really. What do you think?'

Tom knew very well how to distract a wing three-quarter. Talk about wing three-quarters.

'I don't know what's the matter with them. Who else can score kick-and-run tries like J.J.? Nobody. And unless you're Gerald, you're not likely to score a conventional wing try today. The defence is too good. I'd play J.J. any day . . .'

He had succeeded in getting me firmly onto my hobbyhorse, and I couldn't resist it, in spite of everything. We talked on for an hour or more. Then over to the club for a session and a quick pint. Well, that was the intention, but I remembered in time what had been the effect of that last night. I'd better keep well away from it today, just in case. I wasn't going to miss the match. The only thing to do was throw a few rueful jokes around about parties, hammers-in-the-head, and order tomato juice.

Everyone, of course, was on about the gap left by Merfyn Davies, but everyone was nevertheless full of euphoria. It isn't at all surprising that the English have become thoroughly fed up with our rugby successes during the last few years. No question about it, we are bad winners. Full of hot air and over-confidence.

From the club to the stadium early, so that Tom could make sure everything was in its place, and so that I could become accustomed to the new experience of watching the game from the commentator's eyrie. As a matter of fact, I'm not too fond of the North Stand. In the old South Stand, you are near enough to the play to get the scent of battle. You can see the sweat on the forwards' faces, and hear the breath driven out of a tackled body. The players are creatures of flesh and blood, thrusting and heaving, bleeding and suffering, breathing hot breath into the cold air. From the dignity of the North Stand, you can easily see how the Roman emperors could give the thumbs down signal. I remember once standing on the governor's platform in the arène at Nimes, looking down through the massed curves of stone seats at the tiny circle of sand far below. There's still blood in that sand, but from up here it couldn't have seemed real. You could easily forget that they were human beings down there. It was all a game. A game played by puppets. Life and death had no part in it. It's like that from the

isel, yn afreal. Ac mae'r cyswllt rhyngom ni, sy'n gyfforddus sefydlog yn ein seddau, a'r bodau dynol bregus sy'n bwrw'n enbyd y naill yn erbyn y llall ymhell islaw, yn denau iawn. Patrwm lliwgar ydy'r gêm o'r North Stand, cyfuniad o symudiadau, cynllun cymhleth yr hyfforddwr yn symud oddi tanom ni, gêm gyda phypedau. Mae dynoldeb y peth o'r fath bellter yn diflannu, a'r angerdd, a'r drasiedi ddynol, gan adael y gêm ymenyddol, fodern y byddwn ni'n darllen amdani ddydd Sul a dydd Llun yn y papurau.

I mi, serch hynny, pan ddechreuodd y chwarae roedd y cof am gyswllt agosach, am realaeth corfforol, ymdrechgar y cyfan yn ddigon byw i mi fedru defnyddio chwyddwydr y meddwl a gweld o flaen fy llygaid lawenydd a dioddefaint go iawn y corachod bach a welwn yn symud ôl a blaen ar y bwrdd gwyrdd dan fy nhraed. Mae'r gêm hon, fel pe bawn i'n gwybod yn isymwybodol na welwn i fyth gêm arall, mai hon oedd i aros yn symbol o holl bwysigrwydd rygbi i mi, wedi ei hysgrifennu fesul sgrym, sgarmes a llinell ar fy nghof. Maen nhw'n sôn am y canfyddiad angerddol, goruwchnaturiol bron, a geir dan ddylanwad rhai cyffuriau. Roedd fy mhrofiad i o'r gêm hon yn debyg i hynny.

Mae fy nghof amdani nawr, a minnau yn fy ngwely am naw o'r gloch wedi blino'n llwyr, mor llachar â phe bai hi'n cael ei hail-chwarae o flaen fy llygaid. Duw a ŵyr beth ddwedais i wrth y gwrandawyr. Pethau rhyfedd iawn, synnwn i ddim. Rwy'n cofio na fedrwn i ddim dweud gair o 'mhen wrth wylio Geoff Wheel, druan, yn cerdded mewn anneall llwyr o'r cae, ar ôl iddo fo a Duggan gael eu hel i ffwrdd. Maen nhw'n dweud ei fod wedi eistedd yn fud ac yn hurt ar y fainc yng nghornel yr ystafell wisgo am hydoedd, a dagrau ar ei ruddiau, yn gwrthod siarad â neb ond ei hen hyfforddwr. Dydw i'n synnu dim. Roedd dagrau'n agos iawn i minnau wrth ei wylio. O, wrth gwrs, ddylid ddim lluchio dyrnau. Mae'n groes i'r rheolau. Fe ddylid gwahardd y fath arwyddion o'r tyndra a'r ymdrech aruthrol a'r cadw nerth anferth yn gaeth o fewn terfynau, sydd i gyd yn rhan o brofiad blaenwr ar gae rygbi. Ond pa mor aml, tybed, y mae'r bachgen wedi cael ei ganmol, gan bobl swyddogol-ddeallus yn ei olwg ef, am fod yn 'galed', yn enillydd cyson mewn sgarmes dynn? A pha mor aml maen nhw wedi esgusodi ambell baffiad yn y gorffennol trwy sôn, 'Wel, wrth gwrs, mae eisiau chwarae y tu mewn i'r rheolau, ond . . .' Bore heddiw

North Stand. Everything is far-off, unreal, and the link between us, sitting comfortably up there, and the human beings hurling themselves against each other down below, is very tenuous. The game is a colourful pattern from the North Stand, a set of movements, the complex plan of the coaches working itself out beneath us, a game with puppets. The human blood and guts of the thing disappears at that distance, and all the passion and intensity, leaving just the modern intellectual exercise we read about on Sunday and Monday in the newspapers.

For me, nevertheless, when the game started, the memory of physical contact, the warm reality of it all, was powerful enough for me to see in those chessboard movements the long-bursting sufferings of those involved. This game, as though I knew subconsciously that I would never be present at another, that this was to remain my symbol of Rugby Football, is written clearly on my memory, scrum by scrum, pass by pass. You hear talk of the intense perception, supernatural almost, that some people experience under the influence of drugs. My experience of this game was something similar.

My memory of it now, as I lie in bed at nine o'clock, completely exhausted, is as clear as if it were being played before my eyes. God knows what I said to the listeners. Peculiar things, quite possibly. I remember that I couldn't say anything at all as I watched Geoff Wheel, poor fellow, walking in bewilderment from the field, after he and Willie Duggan had been sent off. They say he sat mute and uncomprehending on a bench in a corner of the dressing room for a long time, tears flowing down his cheeks, refusing to talk to anyone but his old coach. I'm not surprised. I was near to tears myself. Oh, sure, you shouldn't throw punches. It's against the rules. One must eliminate these manifestations of the tension and the huge physical effort and the caging of great strength within tight bounds that are all part of the experience of a powerful forward on the rugby field. But how often, I wonder, had the lad been praised, by officially authoritative people in his eyes, for being 'hard', the great ruler and ball-winner? And how often had they excused the odd punch in the past by saying, 'Well, of course, one must play within the rules, but . . .' This morning, he was

roedd o ar ei uchelfannau, yn ymgeisydd cryf i fynd gyda'r Llewod i Seland Newydd, yn cael ei ganmol i'r cymylau fel y blaenwr cryfaf ym mhac Cymru. Parc yr Arfau yw canolbwynt ei fyd, yn ddiamau. Ac yna, fel bollt o'r nefoedd, mae'n ddihiryn. Mae popeth wedi troi'n chwerw. Mae'n cael ei hel o'r unig le sy'n gartref ysbrydol iddo. Ac yn nyfnder ei enaid dydi o ddim yn gwybod pam. Ac yna mae pawb yn dweud, o'u seddau cyfforddus, pobl sydd heb erioed brofi gwres y sgrym . . . 'O, ie, Wheel. Ddylen nhw ddim caniatáu i'r fath ddynion fod ar gae rygbi . . . Os na fedran nhw gontrolio'u hunain . . .' Ar fy ngwir, fedrwn i ddim yngan gair pan ofynnwyd i mi ddweud fy marn.

Ond mae gogoniannau'r gêm yr un mor llachar hefyd. Phil Bennett yn torri i'r dde ar ôl newid cyfeiriad destlus gan y gweithiwr ardderchog, deallus, Steve Fenwick. Gwiwer sydyn yw Phil, mewn gwirionedd. Lle'r oedd Barry John yn llifo'n ddiymdrech dros y ddaear, mae Phil yn gwibio fel arian byw. Mae dyn yn gwybod beth mae o am ei wneud, ond serch hynny mae o rywsut yn llwyddo i fynd heibio. Prynhawn heddiw cymerodd Phil y bêl, ochrgamodd yn gynnil i agor llwybr tenau yn yr amddiffynfa, yna cyflymodd fel saeth trwy'r bwlch, ochrgamu eilwaith, a mynd ag amddiffynfa ardderchog y Gwyddelod bum llath yn ychwanegol ar draws y cae cyn rhyddhau'r bêl i Burcher. Fedrai ef wneud dim mwy na'i gollwng hi ar hyd y llawr i gyfeiriad Gerald. Ac yna, gyda'r eiliadau bach o athrylith cynnil sy'n gwneud ei chwarae o'n unigryw, cododd yntau'r bêl ar flaenau'i fysedd a phlymio dros y llinell fel glas y dorlan yn trochi.

Roedd munud fythgofiadwy arall pan weithiodd Phil a Gerald symudiad siswrn clasurol ei lendid a'i symlrwydd cyn bod Gerald yn gwibio'n rhwydd heibio i ddau ddyn a rhoi'r bêl i'r bachgen newydd, Burgess, oedd yn rhuthro i fyny fel tanc ymdrechgar ar ei chwith, chwarae teg iddo. Ond mae'r gêm gyfan yn ddiogel yn fy nghof, pob sgrym, pob llinell a symudiad. Ac yna, rywbryd ar ôl i mi gyrraedd adref, clywais ryw ohebydd o Sais ar y radio'n sôn am y gêm fel 'nasty ragbag of inconsequential rugby'. Duw a ŵyr, doedd o a minnau ddim yn byw yn yr un byd.

walking on air, an obvious candidate for the Lions tour of New Zealand, praised beyond measure as the strongest forward in the Welsh pack. The National Stadium is the mecca of his life, no question. And then, by an edict of the gods, he is a villain. Everything turns sour. He gets publicly expelled from the only place where he can gain respect. And in the depths of his soul, he doesn't know why. And then people say, from the heights of their North Stand seats, 'Oh, well, Wheel, what do you expect . . . ?' I remember, I just couldn't say anything when I was asked to comment.

But the glories of the game are equally clever. Phil Bennett breaking to the right after the crisp change of direction by that excellent journeyman, Steve Fenwick. Phil is a kind of stoat. Where Barry John flowed effortlessly over the ground, Phil flits like quicksilver. You reckon you know what he is going to do, but still he succeeds in getting past. This afternoon, Phil took the ball, side-stepped subtly to open a narrow path in the covering defence, then accelerated like a racing-car through the gap, sidestepped again, and took the whole Irish defence five yards across the field before releasing the ball to Burcher. He could do no more than flip it along the ground towards Gerald. And then, with one of those moments of delicate genius that make Gerald's play unique, he lifted the crazily bouncing ball with the tips of his fingers and plunged over the line like a kingfisher diving.

There was another superb moment when Phil and Gerald operated a classically simple scissors movement before Gerald sped past two men and gave the ball to the new man, Burgess, roaring up like a well-meaning tank on his left. The whole game is safely stored away in my mind, every scrum, every line, every movement. And then, after I had staggered home exhausted, with no taste for the victory jamboree, no desire even to join the acolytes in the dressing room, I heard some English journalist describe the game on the radio as 'a nasty ragbag of inconsequential rugby'. God knows, he and I don't live in the same world.

II

Mae hi'n nos Sul ac mae'r pentref yn hollol farw. Mae'r teulu wedi mynd i'r capel, bum milltir i ffwrdd. Fis yn ôl fe symudsom ni yma o Gaerdydd. Dydw i ddim yn cofio holl deithi'r dadleuon maith a gawsom am y peth erbyn hyn. Ond mi wn y bu'r dadlau'n frwd, yn ymylu ar chwerwedd ar adegau. Rwy'n credu fod Sal wedi cytuno yn y diwedd mewn anneall, gan gredu y gallai'r symud wneud lles corfforol i mi. Dydy Sal ddim yn gwybod, does neb yn gwybod, na fedar unrhyw symudiad wneud hynny. Mae hi'n gweld fy mod wedi colli pwysau, wrth gwrs, a fedar hi ddim bod yn ddall i felynder fy ngwedd, ond mae hi'n credu fod gwella i fod, y byddaf yn cael triniaeth lawfeddygol pan fydd yr amser yn addas.

Mae hi wedi bod yn hawdd i'w thwyllo. Mae'r arferiad o onestrwydd sydd wedi tyfu rhyngom dros y blynyddoedd wedi bod yn gymorth mawr i mi wneud fy nghelwyddau'n gredadwy. Doeddwn i ddim yn gelwyddwr da o gwbl ar y cychwyn, ond rydw i'n dysgu trwy brofiad, ac erbyn hyn rydw i'n ei chael hi'n haws o lawer palu celwyddau am bethau dychmygol a ddywedwyd gan y diawl meddyg dwl yn yr ysbyty.

Mae'n haws cuddio'r boenau hefyd. Rydw i wedi dysgu cadw'n hollol lonydd pan ddôn nhw. Peidio ag ysgogi'r gyfundrefn nerfol mewn unrhyw ffordd o gwbl. Mae'r symudiad lleiaf – taro bys yn erbyn ymyl bwrdd, ceisio eistedd yn fwy cyfforddus – yn anfon negeseuon o boen dirdynnol i'r ymennydd ac yna'n wallgof o gwmpas y corff i gyd fel pla. Ond os llwydda i i gadw'n hollol lonydd, mae'r boen yn gweithio mewn gwagle ac mae modd goddef y dolur cyson, canolig sydd, sut bynnag, hefo mi ar hyd yr amser erbyn hyn.

Ydw i'n gwneud yn iawn i wau rhwyd amddiffynnol o gwmpas Sal a'r plant? Dwn i ddim. Duw a ŵyr, dwn i ddim. Ond dydw i ddim yn gweld fod mantais mewn dweud wrthi. Mae'n well iddi fy ngweld yn mynd i'r ysbyty – ac maen nhw wedi addo fy nghymryd i mewn pan fydd pethau'n agos – yn cario'r syniad y bydda i'n dod adre'n ôl, a derbyn y sioc pan ddaw, na chario'r wybodaeth y tu mewn iddi ar hyd yr amser a'i gorfodi ei hunan i wenu a bod yn normal a jocian, a byw'n gynnes anhrefnus wyllt fel rydan ni erioed fel teulu wedi byw.

II

March 13

It's Sunday night and the village is completely dead. The family have gone to chapel, five miles away. We moved here from Cardiff a month ago. I don't remember now all the twists and turns of the debate that led to it. But I know the arguments were heated, sometimes bordering on real bitterness. I think Sal agreed in the end in total bafflement, but on the assumption that the change would do me good. Sal still doesn't know, none of them know, that no change is going to do that. She can see that I've lost weight, obviously, and she can't be blind to the yellowness of my skin, but she still thinks I shall get better, and that there will be an operation when the time is ripe.

She has been easy to deceive. The habits of honesty that have grown up between us over the years have been a great help in making my lies credible. I wasn't at all a good liar to begin with, but I'm learning as I go on, and I find it quite easy now to manufacture all kinds of nonsense about the things the doctors said at the hospital.

It's easier to hide the pain as well. I've learnt to keep absolutely still when it hits me. The thing is not to stimulate the nervous system in any way at all. The slightest movement – hitting my finger against the chair or the table, shifting my position to try to secure greater comfort – sends messages of agonising pain up to the brain and then helter-skelter about my body like a plague of rats. But if I can keep completely still, the pain operates in a vacuum and one can endure the regular, moderate ache which, after all, is there all the time now.

Am I right to weave this defensive net around Sal and the children? I don't know. God knows, I don't know. But I don't see what could be gained by telling her. It's better for her to see me going to the hospital – and they've promised to take me in when things get really bad – under the impression that I shall eventually be coming back home, and ride the one, final shock when it comes, than to carry the truth inside her all the time, and have to force herself to smile and smile and live our usual hectic, intuitive life as though nothing was wrong.

Hwyrach ei bod hi'n gwybod yn ei chalon. Ond o leiaf mae'r geiriau heb eu dweud ac mae'n haws i'r ddau ohonom ni beidio â chreu awyrgylch o drasiedi o flaen y plant. Ac mae rheswm arall pam na fedra i ddim dweud wrthi. Rheswm a fyddai'n gredadwy iawn i Sal a'r plant pe bawn i'n gallu dweud wrthyn nhw. Rheswm mwy anodd i'w egluro i rywun arall hwyrach. Dydw i ddim yn gwybod sut y byddai'r plant yn gallu byw heb chwerthin. Heb chwerthin a heb gynllunio. Chwerthin a chynllunio castelli gwallgof yn yr awyr ydy gwe ac anwe ein bywyd ni. Dydw i ddim yn credu y gallem ni'n pump fyw mewn unrhyw ffordd arall. Ac fe fyddai'n ormod o straen i Sal wamalu a ffrothian am fisoedd pe bai hi'n gwybod y gwir.

Ac am y symud, dydw i ddim yn gwybod am hynny chwaith. Ond lle mae pwyll yn peri i mi beidio â dweud y gwir wrth Sal, rhyw reddf hollol groes i hynny a wnaeth i mi ddadwreiddio pawb a'u halio o normalrwydd Caerdydd i bentref marw yng nghanol-barth Cymru.

Mae hi'n nos Sul. Ar nos Sul y dechreuodd yr holl syniad gorddi yn fy meddwl. Rhywbryd tua diwedd Ionawr, ar nos Sadwrn, aeth Sal a minnau i un arall o bartïon Caerdydd. Y tro hwn fe wnes i'n siŵr na fyddwn i ddim yn cam-bihafio. Fe gerddais o gwmpas yn brysur iawn ac yn gymdeithasol dros ben hefo gwydraid o sudd tomato yn fy llaw. Fedra i ddim dweud fy mod yn hoffi'r stwff ond mae dyn yn cyfarwyddo ag unrhyw beth. Ac mae'n hanfodol, beth bynnag, hefo'r angen am gyffuriau'n dyfnhau, i mi beidio â chyffwrdd ag alcohol o gwbl. Roedd hi'n mynd yn gynyddol anoddach egluro hyn yn y clwb ac yn y partïon heb ddweud y gwir wrth rywun.

Ond yn awr, am y tro cyntaf erioed mewn gwirionedd, a'r amser yn prysuro heibio, a minnau'n amlwg yn wannach o lawer nag yr oeddwn i fis yn ôl, roeddwn i hefyd yn gynyddol ymwybodol o wacter y cyfan. Roeddwn i'n gweld delweddau o wacter yn gyson mewn breuddwydion erchyll noson ar ôl noson. Yr un mwyaf cyffredin, a ddeuai'n ôl drosodd a throsodd yr un noson mewn breuddwyd ar ôl breuddwyd, oedd darlun o gêm wallgof ddigynllun yn cael ei chwarae ar ymyl dibyn mawr uwchben y môr a'r naill chwaraewr ar ôl y llall yn disgyn drosodd i wagle dychrynllyd ac yn diflannu i'r tywyllwch islaw gan weiddi a sgrechian yn ddiobaith.

Fedrwn i ddim dweud fy mod i'n anhapus. Roedd patrwm ein bywyd ni, wedi'r cyfan, yn ddymunol dros ben. Roeddwn i'n

Perhaps she knows in her heart. But at least the words haven't been said, and it's easier for the two of us to avoid creating an atmosphere of depression in front of the children. And there's another reason. A reason that would be very easy for Sal and the children to understand, if I could tell them. Maybe a reason more difficult for other people to appreciate. I don't see how the children could exist without being able to laugh. Really to laugh, belly-laugh, see life as one great, consuming joke. Laughing and building great, gothic castles in the air; that's the warp and woof of our lives. I don't think we five could live together in any other way. And it would be too much of a strain for Sal to fantasise and weave her daily patterns of nonsense if she knew the truth.

And as to the move from Cardiff, I'm not very sure about that either. But where native caution – or sheer cowardice – prevents me from telling Sal the truth, it was a quite different instinct that made me uproot everyone and haul them off out of the cosy familiarity of Cardiff and dump them in a dead village in the middle of Wales.

It's Sunday night. It was on a Sunday night that the whole thing began to boil up in my mind. Sometime towards the end of January, on a Saturday night, Sal and I went to another of those parties. This time, I made sure I didn't misbehave. I circulated busily and entertainingly with a glass of tomato juice in my hand. I can't say I like the stuff, but you get accustomed to anything. And it's essential anyway, as I get pumped more and more full of drugs, that I abandon alcohol altogether. It was becoming increasingly difficult to explain this away in the club and at these parties without telling someone the truth.

But now, for the first time ever, I suppose, as time flew by, and as I grew noticeably weaker than I was a month ago, I became more and more conscious of the emptiness of it all. Images of emptiness appeared in my dreams night after night. The most common one, one that returned time after time, often over and over again the same night, was a dream of a formless, featureless game being played on the edge of a great precipice above the sea, and one player after another toppling over into a dark void, screaming and shouting his despair.

I couldn't have said that I was unhappy. The pattern of our life was, after all, very pleasant indeed. I was very fortunate. I loved my

ffodus iawn. Roeddwn i mewn cariad â'm gwraig; roedd perthynas gref iawn rhyngom ni; perthynas oedd wedi dyfnhau dros ddeunaw mlynedd. Doeddwn i ddim wedi meddwl llawer iawn am y plant o'r blaen – wedi cymryd eu babandod a'u blynyddoedd cyntaf yn rhy ganiataol o lawer. Yn wir, rydw i wedi bod yn weddol nodweddiadol, mae arna i ofn, o'r math o ŵr y mae'r mudiadau benywaidd ymosodol yn cwyno yn eu cylch.

Dydw i ddim yn curo'r wraig. Rydw i'n dod ag anrhegion penblwydd iddi, a mynd â hi allan am bryd o fwyd bob yn awr ac yn y man. Roeddwn i'n mynd â'r plant am dro i'r parc ar fore Sul pan oedden nhw'n fach. Ond roeddwn i hefyd yn cadw rhan helaeth o'm bywyd yn ddiogel i mi fy hun. Y gêm, y bois, y clwb. O, fe ddeuai Sal yn achlysurol i'r clwb pan oeddwn i fy hun yn dal i chwarae, a chymysgu â'r gwragedd eraill a derbyn ei diod bach ffasiynol – Cinzano a lemwn, rwy'n credu; mae'n rhyfedd fel mae rhai pethau'n diflannu o'r cof mor gyflym. Ond lle i'r dynion a lle i yfed cwrw a dweud straeon masweddol, dyna oedd y clwb, serch hynny. A byd dynion oedd fy myd i. Er nad oeddwn i ddim wrth natur yn mwynhau awyrgylch slotian rhyw lawer, ac er bod rhyw ledneisrwydd ynof ambell waith yn cyfogi'n fewnol wrth wrando ar ryw darw o storïwr yn rhedeg ei yrfa'n ffyddlon trwy ei stoc anghynnil o fryntni, eto fynnwn i ddim cyfaddef hynny, hyd yn oed i mi fy hunan. Hwn oedd fy myd. Roeddwn i wedi llwyddo ynddo, wedi concro. Roeddwn i'n hen 'international'.

Os oedd Sal a minnau wedi llwyddo i greu rhywbeth parhaol rhyngon ni, yna roedd llawer mwy o le i ddiolch i Sal nag i mi. Fel yn y rhan fwyaf o deuluoedd yn Ne Cymru, heddiw fel ag erioed, mewn semis cysurus yn Cyncoed fel mewn tai teras yn Abercwmboi, y merched sy'n cynnal y cwlwm teuluol. Fe ddaw'r arglwydd-ŵr adref yn ei ffordd a'i amser ei hun a gwneud rhyw gyfraniad bach gwirfoddol i fywyd y lle. I ffwrdd ag o wedyn, i'r gêm, i'r clwb, at y bois. Na, mae hynyna'n llawer rhy syml. Llawer rhy uniongyrchol i fod yn wir. Mae'r darlun yn fwy cymhleth erbyn hyn.

Fel 'na roedd hi. Fel 'na roedd tad a mam Sal yn byw. Ond fod ganddyn nhw'r capel. Y capel Cymraeg clasurol, draw ym Mrynaman. Tŷ bychan, tlodaidd. Yr hen foi wedi ychwanegu tŷ gwydr 'lean-to' yn y cefn er mwyn i'r plant gael llonydd i wneud eu gwaith cartref yn y gegin. Fe fydda fo wedyn yn troi ei law at

75

wife; furthermore, we were close and enduring friends. Our friendship, as distinct from our love, had ripened into a relaxed understanding of each other over eighteen years. Ours was a good marriage. I hadn't thought all that much about the children previously – I had taken their infancy and early childhood much too much for granted. In fact, I suppose I have been very much the kind of husband the women's organisations are constantly complaining about.

I don't beat my wife. I bring her birthday presents, and I take her out for a meal now and again. I used to take the children to play in Roath Park on Sunday mornings when they were younger. But I also kept a fair proportion of my life stubbornly to myself. The game, the lads, the club. Oh, Sal would occasionally come to the club while I was still playing myself, and mix with the other wives, and accept her fashionable little drink – Cinzano and lemon, I think it was; funny, I don't really remember now. But the club, nevertheless, for all its half-hearted attempts at emancipation, was really a place where you could drink beer and tell dirty stories without having to apologise for either activity. And my world was a masculine world. Although I never really enjoyed drinking sessions all that much, and although some element of fastidiousness in me might occasionally rebel violently as I listened to some great bull of a raconteur roaring predictably through his repertoire of prurience, yet I couldn't really admit that, even to myself. This was my world. I had succeeded in it. I had conquered it. I was an old international.

If Sal and I had succeeded in building something permanent between us, that was more thanks to Sal than to me. As with most families in south Wales, today as much as ever, in tidy semis in Cyncoed just as in the terraces of Abercwmboi, it's the women who hold the line. The lord-husband comes home in his own good time and makes his own lordly contribution to the life of the home. Off he goes then, to the match, to the club, to the boys. No, that's far too simple. Far too superficial. The picture is far more complex that that by now . . .

That was how it used to be. That was how Sal's father and mother used to live. Except that they had the chapel. The traditional, uniform Welsh chapel, over in Brynaman. They lived in a small, crowded house. The old fellow had added a lean-to in the back, knocked together with wood and glass, so that the kids could be left in peace to do their homework in the kitchen. He would turn

bob math o bethau yn y 'lean-to' – trwsio clociau oedd un o'r pethau mawr. Fe aeth o i ffwrdd i'r rhyfel, wrth gwrs. Fe aeth trwy'r cwbl, rwy'n credu. Trwy'r ymladd yn Affrica, ac yn yr Eidal wedyn. Fe fyddai'n sôn weithiau am ambell beth ddigwyddodd ar y ffordd i fyny o Sicily i Rufain. Ond dim llawer iawn. Doedd y busnes ddim wedi gadael argraff ddofn arno. Doedd o ddim, i ddweud y gwir, yn feddyliwr. Fe soniai'n wamal am ferched yr Eidal – a synnwn i ddim nad oedd yna un fwy pwysig na'r gweddill. Ac am win. Ac am yr haul. Rwy'n cofio iddo sôn un tro am Monte Casino. Ac wedyn fe ddaeth yn ôl i Frynaman ac yn ôl i'r pwll. Roedd Sal yn bedair oed pan ddaeth ei thad adref o'r rhyfel. Un o'i brodyr yn chwech a'r llall yn ddeg. A dwy chwaer ieuengach na hi. Aeth dwy o'r merched a'r ddau frawd i'r coleg. Mae un o'r hogiau, yr hynaf, yn gemegydd gydag ICI yn Lloegr, y llall yn y cymoedd o hyd, yn athro yn Aberpennar. Ac mae'r chwiorydd wedi priodi'n solet a digynnwrf.

A'r fam oedd sylfaen hynny i gyd. Yn siaradus, yn fawr o gorff, yn uchel ei chloch yn wir, yn y siop ac ar stepan ei drws, ac yn gallu bod yn siarp iawn ei thafod, roedd, yn anad unpeth arall, yn cario awdurdod. Roedd hi'n gwybod beth oedd yn dda a beth oedd yn ddrwg; roedd hi'n gwneud yn sicr fod y plant yn gwybod hefyd. Garw a swta oedd y cariad yng nghartref Sal. Ond roedd o'n anffaeledig, serch hynny. Roedd ei mam, fel sawl un debyg iddi, yn graig gwbl safadwy.

Mae'r hen foi wedi marw ers blynyddoedd. Y llwch. A chyfansoddiad bregus wedi ei etifeddu gan genedlaethau o ddiffyg maeth, cyn i'r llwch ddod yn agos at ei ysgyfaint o, fel y cyfryw. Fe fydda i'n meddwl amdano fel 'yr hen foi' bob amser. Ond wedi heneiddio ymhell cyn ei amser yr oedd o, mewn gwirionedd. Dyn bychan gwelw, prysur. Canwr digon parchus yn y capel. Ond y band, yn hytrach na'r côr, oedd ei gartref cerddorol. Fe gerddai ddwywaith yr wythnos i fyny'r rhiw i gwt y band a chwarae'r cornet yn dawel-gydwybodol am flynyddoedd. Ambell waith yn unig y byddai'n chwarae'r cornet yn y 'lean-to'. Y noson cyn y cystadlaethau mawr i wneud yn hollol sicr o'r darn. Ond rhywbeth ar gyfer y cwt band oedd y cornet. Cornel mewn bywyd, nid bywyd i gyd.

Y fam, wrth gwrs, fyddai'n halio'r plant i'r capel. Fe âi'r hen foi, ryw ddwywaith y mis pan fyddai pregeth, er na fyddai'n mynd mor

77

his hand to all manner of things in the lean-to – one of his lines was mending clocks. He went off to the war, of course. He went, through the whole thing, I think. Through the fighting in the desert, and then up through Italy. He would tell the odd story from time to time about the things that happened between Sicily and Rome. But not very much. The affair hadn't, incredibly, left him with any deep-seated scars. He wasn't, to tell the truth, much of a thinker. He would speak jocularly, with many a wink, about the Italian girls – and I wouldn't be at all surprised if there hadn't been one special one. And about the wine. And the sun. I remember once he spoke of Monte Casino. And then he came back to Brynaman, and down the pit once more. Sal was four years old when her father returned from the war. One of her brothers was six and the other ten. And she had two sisters younger than herself. Two of the daughters and both brothers went to college. One of the boys, the eldest, is a chemist with ICI in England, the other's still in the valleys, a teacher in Mountain Ash. And the sisters have married solidly and respectably.

The mother was the rich earth out of which all that purposeful, unthinking growth derived its strength. Talkative, big-bodied, loud-mouthed indeed, over the shop counter and on her own doorstep, often sharp-tongued and sometimes alive with flashing wit, she above all else possessed authority. She knew what was good and what was bad; she made sure the kids knew it as well. The love that flourished in Sal's home was a rough and inarticulate love. But it was infallible, nevertheless. Sal's mother, like so many of her kind, was utterly dependable, immovable, an awkward, knotted oak.

The old man died years ago. The dust. And a delicate constitution inherited from generations of undernourished ancestors long before the dust actually attacked his lungs in his turn. I always think of him as 'the old fellow'. But the truth was that he had aged long before his time. A small, pale, busy man. A respectable enough singer in the chapel. But the band, rather than the choir, was his musical home. He would walk twice a week up the hill to the band hut, and he played his cornet with quiet application for many years. Only very occasionally would he play his cornet in the lean-to. The night before important competitions perhaps, as a kind of offering to fate. But the cornet's place was the band hut. A corner of life, not life itself.

It was the mother, of course, who hauled the kids off to chapel. The old fellow would go, say twice a month, when there was likely

aml yn yr haf, gan ei fod yn sgorio i'r tîm criced, ac fe ddechreuodd hwnnw chwarae ar y Sul yn gynyddol yn ystod ei flynyddoedd olaf. Ond roedd y plant yn gorfod mynd yn gyson. I'r cwrdd a'r Ysgol Sul. Ac am gyfnod bu Sal yn cael ei thywys o gwmpas y gylchdaith eisteddfodol. Doedd hi ddim yn meddu ar dalent fawr, ond mae llais tyner, cyfoethog ganddi a deallusrwydd siarp. Felly roedd hi'n adroddwraig. Fe'i gwisgid mewn ffrog wen ag ymylon gwyrdd – rydw i wedi gweld y lluniau, gellwch fentro – a'i sefyll o flaen y tân yn y gegin i ddysgu'r darnau digyfnewid. Aeth hynny yn ei flaen hyd nes y cyrhaeddodd hi ddeuddeg neu dair ar ddeg oed. Wedyn y gwrthryfel. Roedd Sal yn ferch 'anodd' yn ei harddegau. Yn cymryd gormod o ddiddordeb mewn bechgyn, yn mynychu'r tafarnau coffi oedd yn dechrau dod i fri, ac yn cerdded y strydoedd gyda merched penchwiban eraill.

Doedd yr hen foi ddim yn credu mewn cymryd y strap at y merched, er nad oedd o ddim yn araf i leinio'r bechgyn. Ond fe gafwyd llawer o sesiynau diflas, yn ôl Sal ei hunan, pryd y ceisiai ei chywilyddio o flaen ei chwiorydd mwy cydymffurfiol. Ac un tro fe gollodd ei dymer yn lân a dechrau defnyddio'r strap arni, cyn i'r fam ei atal. Bachgen oedd y broblem y tro hwnnw, wrth gwrs. Roedd tad a mam Sal, fel rhieni merched anystywallt yn gyffredinol, yn byw mewn ofn parhaus y byddai hi'n dwyn anfri ar y teulu yn y modd arferol. Doedd dim byd gwaeth i deulu parchus-dlawd na bod un o'r merched yn cael plentyn anghyfreithlon. Roedd Sal wedi cael sawl rhybudd, a hithau bellach yn un ar bymtheg go ddatblygedig ac yn fyfyriwr addawol yn y chweched dosbarth, nad oedd hi ddim i aros allan ar y strydoedd yn hwyr i lolian hefo'r bechgyn. Roedd hi'n gyson yn anufuddhau, a'r wythnos gynt roedd yr hen foi wedi mynd allan i chwilio amdani a'i chael ym mreichiau trwsgwl rhyw greadur mwy diolwg na'i gilydd mewn cornel yng ngorsaf y bysiau. Mewn cornel dywyll, mae'n wir, ond yng ngolwg y cyhoedd, serch hynny. Yn ôl Sal, fe fu pregethu di-ben-draw y noson honno a gwaharddiad diamod yn erbyn mynychu'r tafarnau coffi am gyfnod amhenodol.

Y peth nesaf oedd darganfod nad oedd Sal yn ei gwely am hanner nos ryw nos Sul, a'i chael yn y cwt glo hefo'r un bachgen druan. Y ddau, yng ngeiriau Sal, yn mynd ati hi 'hammer-and-

to be a reasonable sermon, although he wouldn't go as often as that in the summer, because he scored regularly for the cricket team, and during his latter years, they began to play regularly on Sundays.

But the kids had to go every Sunday. To the service and to Sunday school. And, for a time, Sal was led around the eisteddfod circuit as well. She didn't possess a great talent, but she has a rich, clear voice, and she is intelligent. So she became an *adroddwraig*, a reciter of poetry. She would be dressed up in a white dress with green edging – I've seen the photographs, you can depend on that – and stood in front of the fire in the kitchen to learn the unchanging poems. And this went on until she was about twelve or thirteen. Then came the rebellion. Sal was a 'difficult' one in her teens. Taking too much of an interest in the boys, hanging around the coffee bars that were beginning to enjoy a new vogue, and walking the streets with other 'difficult' girls.

The old fellow didn't believe in taking the strap to the girls, although he wasn't slow to lay into the boys. But there were many unpleasant sessions, according to Sal herself, when he would try to shame her in front of her more conformist sisters. And once he lost his temper completely and began to strap her, before her mother intervened. A boy was at the root of it that time, of course. Sal's father and mother, like the parents of other strong-willed girls, lived in constant fear that she would bring disgrace to the family in the usual way. There was nothing worse for a poor but respectable family than that one of the daughters should present them with an unwanted child. It happened often, and it cast a shadow on the whole family's efforts to rise above their circumstances. Sal had had many warnings – she was by now a pretty well-developed sixteen and a promising sixth-form pupil – that she was not to stay out late, giggling on the streets with the boys. She consistently disobeyed these injunctions, and the previous week the old boy had gone out to look for her, and had found her in the clumsy arms of some lad or other in a dark corner of the bus station. In a dark corner, but not, unfortunately, out of the public eye. According to Sal, that resulted in a long sermon, and an unqualified embargo on coffee-bar visiting for an indeterminate period.

The next thing was that Sal was discovered not to be in bed at midnight one Sunday night. She was then found in the coal shed with the same unfortunate lad. The two of them, in Sal's words,

tongs', a heb glywed neb yn dod cyn i 'dorch' yr hen foi eu dangos yn ddigon clir. Fe gafodd y bachgen ei gertio trwy'r giât gefn, a Sal ei halio'n ddiseremoni i'r tŷ. Ac er mawr ddychryn iddi aeth yr hen foi â hi, yntau'n wyn fel y galchen, yn syth i'r 'lean-to' a chyrraedd am y strap oddi ar ei silff. Gwthiodd Sal yn erbyn y bwrdd, ac fe gafodd amser i'w tharo'n filain dair gwaith cyn i'r fam redeg i lawr y grisiau a dweud yn chwyrn wrtho am beidio. Gollyngodd yntau'r strap heb yngan gair a cherddodd allan i'r nos.

Mae Sal yn dweud fod hynny, y boen iasboeth annisgwyl deirgwaith trwy'r ffrog denau, ac wedyn sylweddoli'n araf ddyfnder ac angerdd dicter ei thad, wedi ei gorfodi i dyfu'n gyflym iawn i fyny. Fe fu farw'r hen foi o fewn pum mlynedd i'r noson honno, a doedd y naill fyth wedi medru maddau i'r llall am sen a chywilydd y digwyddiad.

Pan ddeuthum i i adnabod Sal yn ei hail flwyddyn yn y coleg, roedd o'n wael iawn. Ond anghreadigol oedd y berthynas rhyngddyn nhw: oeraidd ac ymddangosiadol ddifater ar ochr Sal; anghysurus a thrist ar ochr ei thad. Rwy'n credu ei fod o'n teimlo'r cywilydd o golli ei dymer a tharo merch i'r fath raddau fel na allai faddau iddo'i hunan, hyd yn oed pe bai Sal wedi dangos ysbryd mwy maddeugar tuag ato. Roedd hithau'n bell iawn o wneud hynny. Fe barhaodd i fynd adref yn rheolaidd o'r coleg, ac fe fyddwn ni'n dal i ymweld â'i mam, sydd bellach wedi symud i fynglo trefol yn Rhydaman, ond roedd cwlwm y cartref wedi ei ddinistrio'r noson honno, cyn belled ag yr oedd hi yn y cwestiwn.

Wrth edrych yn ôl erbyn hyn, roedd hi'n ddigon bodlon cyfaddef iddi greu problemau i'w rhieni. Ac mae hi ei hunan yr un mor fugeiliol-warchodol yn ei hagwedd at Menna, o gymryd y gwahaniaeth enfawr yn hinsawdd cyffredinol y gymdeithas i ystyriaeth, ag yr oedd ei mam yn ei hagwedd ati hi. Yn fwy felly hwyrach. Ond fedrai hi ddim maddau i'w thad am ei tharo. Roedd rhywbeth absoliwt, cyntefig yn ei hagwedd. Roedd yr ergydion ar ei chefn wedi torri'r cwlwm rhyngddyn nhw am byth. O hynny ymlaen rhyw ddyn bach gwachul, diolwg yn byw yn nhŷ ei mam oedd o. Neb amgen na hynny.

Cefais ffrae fawr â Sal ynglŷn â'i hagwedd unwaith. Unwaith yn unig. Darganfyddais yn syth pa mor ddwfn oedd ei hystyfnigrwydd yn y mater. Roeddem ni'n dau newydd fod yn ymweld â Brynaman ychydig ar ôl i ni briodi, ac yntau'n sâl yn ei wely. Roedd y tŷ

81

'going at it hammer-and-tongs', and hearing nothing until the old boy's torch shone full on them. The lad was hurled through the back gate into the alleyway, and Sal was hauled unceremoniously into the house. And to her utter terror, the old boy took her, white as a sheet, into the lean-to and took the strap down from the shelf. He pushed her against the table, and had time to beat her viciously three times before her mother ran down the stairs and stopped him with one whiplash word. He dropped the strap, and walked out into the night without saying a word.

Sal says that that experience, the searing, exploding pain three times through her thin dress, and then the slow realisation of the depth and intensity of her father's anger, created a permanent gulf between them. The old boy was dead within five years of that night, and neither had been able to forgive the other for the shame and indignity of the episode.

When I came to know Sal during her second year in college, he was very ill. But the relationship between them was not a fruitful one: cold and apparently uncaring on Sal's part; sad and uncomfortable on her father's side. I think he felt the shame of striking a girl to such an extent that he couldn't have forgiven himself, even if Sal had shown a forgiving spirit towards him. And she was very far from doing that. She continued to go home regularly from college, and we still visit her mother, who has now moved to an urban bungalow in Ammanford, but the knot that bound the home together was destroyed that night, as far as she was concerned.

When she looks back, she is ready enough to admit the problems she created for her parents. And she herself is just as fussily protective in her attitude to Menna – if you take the vast difference in social climate into account – as her mother was in her attitude to her. More so, perhaps. But she could never forgive her father for striking her. There was something absolute, primitive, in her attitude. Those blows had broken the link between them for ever. From then on, he was just a pale little man who lived in her mother's house. Nothing more than that.

Sal and I had a flaming row about it once. Just once. I saw at once how intransigent her attitude was. The two of us had just been to Ammanford, soon after we were married; the old fellow was bedridden. The tiny house was full of anxious inquirers, and Sal's

bychan yn llawn ymwelwyr yn holi amdano ac roedd mam Sal ynghanol ei thrafferthion. Aeth Sal ati hi ar unwaith i helpu ei mam yn y gegin, i ferwi tegell, ac i fod yn brysur-effeithiol fel y gallai hithau hefyd fod. Es i fyny i siarad â'r hen foi. Roedd o'n gorwedd yn llonydd iawn yn ei wely a chroen ei wyneb fel papur, ond bywiogodd pan euthum i i mewn. Eisteddais wrth yr erchwyn a sôn am rygbi. Gwrandawodd. Holodd. Ond yna, ymhen tipyn, rhoddodd ei law ar fy mraich.

'John. Wi am i ti siarad â Sal. Wnei di?'

'Am beth, Mr Thomas?'

Mae'n rhyfedd fel y mae confensiwn sgwrs yn mynnu ein bod ni'n gofyn cwestiynau o'r fath. Roeddwn i'n gwybod yn iawn beth oedd ar ei feddwl, ond roedd defodaeth y sefyllfa'n hawlio fy mod i'n gofyn y cwestiwn. Er mwyn gwisgo'r cyfan mewn geiriau, yn dwt ac yn eglur.

'Smo hi wedi bod lan i 'ngweld i, wyt ti'n gweld, o gwbl. Fe ddaw heddi, sbo, a dweud rhyw frawddeg ffwrbwt a mynd. Mae'n amser i ni ddod i ddeall ein gilydd, John. Does dim achos mynd mlân fel hyn.'

'Mae ganddi hi feddwl go gryf, Mr Thomas . . .'

'Ti yw ei gŵr hi, yntefe?'

'Dydy gwŷr ddim yn gallu dweud wrth eu gwragedd beth i wneud y dyddiau hyn . . .'

Addewais siarad â Sal, wrth gwrs. Ac fe godais y pwnc wrth yrru adref trwy'r Waun a Chastell Nedd. Y funud y dechreuais sôn am y peth, dyma Sal, oedd yn gyrru'r car, yn hoelio ei llygaid ar y ffordd o'i blaen ac yn ateb yn beryglus o ddistaw.

'Busnes i Dad a fi yw hynny, John.'

'Fe ofynnodd o i mi siarad hefo chdi, dyna i gyd.'

'Dyna ti wedi gwneud, 'te.'

'Rwyt ti'n afresymol ynglŷn â'r peth, Sal. Dal dig am flynyddoedd, mae o'n gyntefig . . .'

Tynnodd Sal y car i mewn i encilfa, diffodd y peiriant, a throi i edrych arnaf.

'Wi ddim am drafod y peth 'da ti na neb arall, reit? Ddim nawr. Ddim unrhyw bryd.'

'Sal, mae'r dyn yn sâl iawn, iawn. Rwyt ti'n mynnu dal dig yn erbyn dy dad dy hun . . .'

'John, dwi ddim yn fodlon trafod y peth. Wyt ti'n deall? Dyw'r pwnc ddim ar yr agenda . . .'

mother was fussed and harassed. Sal immediately went to help her mother in the kitchen, made the tea, became quietly efficient, as she can be. And I went up to talk to the old fellow. He lay very still in the big bed, the skin of his face drawn tightly over his cheekbones. But he livened up when I went in. I sat on the edge of the bed, and started talking rugby. He listened. He questioned. But then, after a while, he put his hand on my arm.

'John. I want you to talk to Sal. Will you?'

'What about, Mr Thomas?'

It's odd how the conventions of conversation impel us to ask such questions. I knew perfectly well what was on his mind, but the protocol of the situation made it necessary for me to ask the question. So that everything could be dressed in words, tidily and cleanly.

'She hasn't been up to see me, you see, at all. Maybe she'll come today, and say something brusque and then go. It's time we came to terms with things, John. There's no point going on like this.'

'She's pretty strong-willed, Mr Thomas . . .'

'You're her husband, aren't you boy . . . ?'

'Husbands can't tell their wives what to do these days, Mr Thomas . . .'

I promised to speak to Sal, of course. And so I raised the matter as we were driving home through the Waun and Pontardawe. As soon as I broached the matter, Sal, who was driving, fixed her eyes on the road, and answered, with a silky quietness:

'That's for my dad and me to sort out, John.'

'He asked me to talk to you, that's all.'

'Right. Well, you've talked to me then.'

'You're unreasonable about it, Sal. It happened years ago. He just lost his temper. You can't go on nursing it, it's stupid – it's primitive, barbaric . . .'

Sal turned off into a lay-by and drew up. She switched off the engine, and turned and looked at me.

'I'm not going to discuss it. Not with you nor with anybody else. Right? Not now. Not ever.'

'The man's critically ill. You're deliberately shutting out your own father. I just can't . . .'

'John! I'm not willing to talk about it. Do you understand? It's not on the agenda . . .'

'Fedra i ddim derbyn hynny. Rwyt ti'n wraig i mi . . .'

Wrth i mi ddweud y geiriau yna, trodd arnaf yn filain, yn wenfflam ffyrnig mewn ffordd nad oeddwn i erioed wedi ei brofi o'r blaen. Roedd y casineb at ei thad wedi tyfu'n obsesiwn. 'Gad e i fod! Os nad wyt ti'n fodlon derbyn mai busnes rhyngddo i a Dad ydy hwn, fedra i ddim ateb am y berthynas rhyngot ti a mi.'

'Beth ddiawl mae hynny i fod i feddwl, mewn geiriau syml?'

Roeddwn inna hefyd yn dechrau blino ar agwedd roeddwn i'n ei hystyried yn nonsens cwbl annealladwy. Ond poerodd ei hateb ataf yn glir ac yn derfynol.

'Mae'n golygu hyn. Naill ai rwyt ti'n cau dy geg am fy nheimladau i am Dad, neu mae'n ddigon posibl y bydda i'n d'adael di.'

Dychrynais, mae'n rhaid cyfaddef. Ddywedais i ddim gair. Cychwynnodd hithau'r car, tynnu allan o'r encilfa, a gyrru'n enbyd heibio i Borth Talbot ac i'r ffordd fawr heibio i Ben-y-bont i Gaerdydd.

Ychydig fisoedd yn ddiweddarach fe fu'r hen foi farw, a phan es i i fyny i'r angladd cefais sioc o weld ei oedran ar yr arch: 'William George Thomas, 1912–1960.' Edrychais yn anghrediniol ar y caead am amser hir. Fe fyddwn i wedi ei roi'n bymtheg mlynedd yn hŷn, o leiaf. Dyn ifanc oedd o. Y diwrnod hwnnw, wrth gerdded y tu ôl i'r arch yn y criw teuluol a gweld y wynebau gwelwon a'r meinder trwyn a gwefus a chorff y tu mewn i ddillad duon y galarwyr, cefais gipolwg dyfnach o lawer nag erioed o'r blaen ar y difrod yr oedd bywyd yn ei wneud ar gorff a chalon y tlawd. Roeddwn ymron yn gallu synhwyro llwydni ac ymdrech eu bywyd yn treiddio'r awyr o'u cwmpas a'i llwydo hithau. Roedden nhw'n cerdded yn ofalus mewn hen esgidiau wedi eu sgleinio'n ddyfal at yr achlysur. Ac roedd llinellau dyfnion o gwmpas eu gwefusau.

Fe ddaeth Sal i fyny hefyd, wrth gwrs, i helpu ei mam, i drafod ei dyfodol, i gyfnewid mân newyddion teuluol â'i chwiorydd a'i modrybedd. Ond dim un gair am ei thad. Gyrrodd y ddau ohonom yn dawel iawn yn ôl i Gaerdydd heb gydio yn y cyfle i sôn dim amdano. Ond roeddwn i'n gweld ei wyneb gwelw o flaen fy llygaid, a'r wên brin amharod, gwên oedd wedi cael ei gyrru ymhell o'r golwg gan amgylchiadau ers llawer blwyddyn. Beth oedd swm a phwrpas ei fywyd?

'I can't accept that. You're my wife . . .'

As I said those words, she pushed towards me violently, white hot with anger in a way I had never seen her before. Her hatred of her father had become an obsession.

'Let it be! If you're not willing to accept that this is just between my father and me, I can't answer for the relationship between you and me.'

'What the hell is that meant to mean?'

I was, to be honest, getting sick and tired of an attitude that seemed to be infantile nonsense. But she spat her answer at me, clearly and with finality.

'It means this. Either you shut your mouth about my feelings about my father, or I might have to leave you.'

I shut up, I must admit. I was genuinely scared. She started the car, pulled out of the lay-by, and drove ferociously past Port Talbot, where the flames of the furnaces leapt at the night sky.

A few months later, the old fellow died, and when I went up for the funeral, I was shocked to see his age on the coffin: 'William George Thomas, 1912-1960'. I looked in disbelief at the plate on the lid for a long time. I would have made him fifteen years older, at least. He was a young man. That day, walking behind the coffin among the family mourners, and seeing all around me those lean faces with peaked noses and thin lips, those bony bodies in black suits, I saw more clearly than ever before the havoc poverty wreaks on the minds and bodies of the poor. I could almost smell the greyness and sheer graft of their lives permeating the air around them. They walked gravely in old black shoes carefully shined for the occasion. And there were deep lines around their mouths.

Sal came up too, of course, to help her mother, to discuss the future with her, to engage in desultory family gossip with sisters and cousins and aunts. But no word about her father. We drove very quietly back to Cardiff without saying anything about him. It was as though he had never been. But I could see his pale face before my eyes, and the fleeting, reluctant smile, a smile that had been driven down deep into the shaft of his subconscious long since. What was the sum total of his life?

Ond doeddwn i ddim yn feddyliwr mawr, a theimlo'r peth yr oeddwn i, yn hytrach na meddwl amdano. Er mor arw oedd allanolion ei fyw, eto doeddwn i ddim yn teimlo fod y cyfan yn ddiystyr. Roedd William Thomas wedi gweithredu y tu mewn i fframwaith ei ddeall ei hun. Roedd bywyd wedi gwneud rhyw fath o synnwyr iddo. Roedd ganddo reolau a disgwyliadau, a ffurf a threfn i bethau, a chymdeithas i fyw y tu mewn iddi. Fe gafodd ei ladd gan y drefn, mae'n wir, ond teimlo cynhesrwydd ato roeddwn i yn hytrach na gwacter dagrau. Roedd bod dynol wedi bod yn fyw, wedi gwneud yn eglur ei hunaniaeth a'i arbenigrwydd ei hun, ac wedi mynd. Ochneidiais. Dydw i ddim yn siŵr pam. Rhyw ymdeimlad annelwig, rwy'n credu, hyd yn oed y pryd hwnnw, nad oedd patrwm fy mywyd i ddim mor ddiogel na'm hunaniaeth i mor eglur.

Edrychodd Sal ddim arna i wrth glywed yr ochenaid. Roedd rhywbeth wedi ei gloi y tu mewn iddi nad oedd hi ddim ar unrhyw gyfrif am ei ryddhau.

Doedd fy nghefndir i ddim mor ddirdynnol. Ond roedd ei ffurf a'i ffrâm yr un mor ddealladwy. Ffermwyr ydy'n teulu i gyd, yn Sir Gaernarfon, yng nghysgod yr Eifl. Dydyn nhw ddim yn ffermwyr cefnog, ond doeddwn i ddim yn gyfarwydd â thlodi. Roedd fy nheulu innau hefyd wedi ei gasglu i mewn dan yr ymbarél crefyddol. Hynny yw, roedden nhw'n eglwyswyr selog, ond heb drosglwyddo i mi, beth bynnag, unrhyw ymdeimlad o gynnwys ysbrydol bywyd yr eglwys. Fel mae llenorion, rwy'n deall, wedi dweud o'r blaen, ffordd o fyw oedd mynd i'r eglwys, nid mater o gredo.

Dydw i fawr o ddarllenwr, felly dydw i ddim yn gwybod sut y mae'r peth wedi ymddangos i bobl eraill mewn cyfnodau eraill. Ond, i mi, rhywbeth yr oedd pawb yn ei wneud oedd mynd i'r eglwys. Gwisgo'n smart a mynd yn y car trwy ddistawrwydd y ffyrdd gwledig ar fore Sul i'r eglwys. Roedd fy nhad, fel ffarmwr, yn un o'r bobl bwysicaf yn y gynulleidfa ac felly roedd o'n warden y ficer. Yn ein hardal ni, wedi'r cyfan, roedd y mwyafrif llethol o'r dosbarth canol yn Fethodistiaid. Criw od, cymysglyd oedd cynulleidfa Gymraeg yr eglwys. (Roedd cynulleidfa Saesneg i gael, hyd yn oed yn y pedwar a'r pumdegau, ymfudwyr o Sir Gaerhirfryn oedd wedi ffeindio lle dymunol a lle heb fod yn rhy ddrud i ymddeol iddo. Ond doeddem ni'n gwneud fawr ddim hefo'r rheiny, er mai nhw oedd uchaf eu cloch ym mhob cyfarfod eglwysig a nhw oedd dragywydd yn ceisio newid pethau.)

But I was no great thinker either, and the question was felt in the sad fibre of the day rather than thought about and analysed. However hard the external circumstances of his life, I didn't feel it was all meaningless. William Thomas had operated within the framework of his own understanding. Life had actually made some sort of sense for him. He had rules and expectations. There was a kind of order to the march of events, and he had a community to hedge about him. He was killed by that order of things, it's true, but it was a warmth for what he had succeeded in being that I felt, rather than the emptiness of tears. A human being had been alive, had made clear his separate identity, his own uniqueness, and then had gone. I sighed. I'm not sure why. Some vague feeling, I think, even then, that the pattern of my life was not so secure, nor my identity so clear.

Sal didn't look at me when she heard me sigh. There was something locked inside her that she wasn't prepared to release under any circumstances.

My own background was less tortured. But its shape and form were equally comprehensible. All my family are farmers, in Gwynedd, Arfon, around the slopes of Yr Eifl. They aren't rich farmers, but I never knew poverty. And my family too had been gathered in under the religious umbrella. That is, they were regular churchgoers who never communicated, to me, anyhow, any sense of spiritual reality. As writers, I understand, have already said, going to church was a way of life, not the reflection of any conscious belief.

I'm not that much of a reader, so I don't know how the thing has appeared to other people at other times. But, for me, going to church was something everybody did. Dressing up in your best suit, and driving along the silence of the Sunday lanes to church. My father, as an established farmer, was one of the most important members of the congregation, and therefore he was the vicar's warden. In our locality, after all, most of the middle class were Methodists. The Welsh congregation in the parish church was an odd, ill-assorted mixture. (There was an English congregation too, even in the forties and fifties, immigrants from Lancashire who had found a pleasant and cheap place to retire to. But we didn't have much to do with them, although theirs were the loudest voices in the church meetings, and although they were constantly trying to change things).

Ychydig mewn nifer oedd y gynulleidfa Gymraeg, ac anniben. Roedd disgynyddion, parchus bellach, y bobl amharchus a gafodd eu diarddel o'r capeli mewn cyfnodau mwy deddfol yn eglwyswyr. Roedd ambell un oedd yn meddwl amdano'i hun fel bonheddwr, ar raddfa leol, yn eglwyswr. Roedd criw bach arall, anodd eu lleoli, oedd am ryw reswm yn mynd i'r eglwys yn hytrach na'r capel, ond heb unrhyw reswm amlwg am hynny. A hyd yn oed yn y cyfnod hwnnw roedd ambell aderyn brith oedd am fynychu moddion gras, ond na fyddai dim croeso iddo yn y capel. Roedd y person yn ei bregethau, mae'n debyg, yn sôn am bethau ysbrydol. Ond doeddwn i, boi mawr am y bêl-droed yn y cyfnod hwnnw, creadur digon dofgonfensiynol ond ymhell o fod yn sgolor â'i drwyn yn ei lyfrau, ddim yn arfer gwrando ar bregethau. Lle'r oedd cymdeithas y capel yn brysur, yn dynn, yn llawn gweithgareddau o bob math, roedd cymdeithas yr eglwys yn fwy llac, yn fwy hamddenol, yn cyfarfod ar ddydd Sul yn unig, yn ddihangfa henaidd, gysurus, ddigyfnewid yn hytrach nag yn fudiad perthnasol i fywyd bob dydd.

Roeddem ni'n mynd i mewn yn ufudd dan gronglwyd yr hen adeilad, y criw cymysg, rhyfedd ohonom ni, allan o reolaeth bywyd i lwydni awyrgylch hollol ddiarth.

'Mae rhywbeth mewn hen eglwys, cofiwch.' Rwy'n sicr yn cofio awyrgylch y lle yn ystod y gwasanaeth Diolchgarwch ar ddechrau mis Hydref. Doeddem ni ddim yn arfer cael y gwasanaeth ar ddydd Llun Pawb, ond ar ddydd Iau mewn wythnos arall, er mwyn i'r capelwyr gael dod. Fe fyddai'r hen eglwys yn llawn. Gan nad oedd gennym ni ddim golau trydan roedd y person yn arfer cynnal ein gwasanaethau wythnosol ni yn ystod y prynhawn yn y gaeaf, a'r unig adeg pryd yr oeddem ni'n defnyddio'r hen lampau paraffîn a grogai'n wichlyd o'r distiau oedd ar noson Diolchgarwch. Fe fyddai'r lle'n llawn hyd at yr ymylon. Pob math o bobl nad oeddwn i erioed wedi eu gweld o'r blaen yn eistedd yn anghysurus ar y seddau caled ac yn methu dilyn y cymhlethdodau codi ac eistedd a phenlinio. Pe bai rhywun wedi gofyn i mi'n blentyn beth oedd y gwahaniaeth rhwng capel ac eglwys, fe fyddwn i wedi dweud fod pobl yr eglwys yn mynd ar eu gliniau i ddweud gweddïau a phobl y capel yn eistedd ar eu seddau ac yn cuddio'u hwynebau yn eu dwylo. Ond roedd anghysur y capelwyr diarth yn ystod y gweddïau a'r credo yn diflannu pan gyhoeddid yr emynau.

Roedd pawb yn gwybod nad oedd pobl yr eglwys yn medru

The Welsh congregation was not numerous, and it was unreliable. The descendants, respectable now, of rebels and outsiders who had been expelled from the chapels in more stringent times, were members of it. An occasional family who thought of themselves, in a small way, as gentry, were members. And there was another little group, difficult to place, which, for some reason, went to church rather than to chapel, although the root cause was now lost in the past. And, even then, there was an occasional ragamuffin who decided he wanted to attend divine worship, but for whom there would have been no welcome in the chapels. The parson, I suppose, spoke of spiritual things in his sermons. But I, a great lad for my football in those days, a conventional enough creature, but by no means a bookworm, never listened to sermons. Where the chapel society was busy, tightly-structured, packed with all kinds of activities, the community of the church was looser, more leisurely, meeting on Sundays only, an ancient, comfortable refuge, unchanging and eternal, rather than in any way relevant to everyday life.

We would go in, obediently, over the threshold of that simple, grey building, an odd collection, out of the reality of life into the grey unreality of a totally different environment.

I remember it on Thanksgiving night in particular. We didn't have our thanksgiving service on the same Monday evening as everyone else, but on a Thursday in some other week, so that all the chapel people could come. The old church would be full. As we didn't have electricity, all our winter services were normally held in the afternoon, and the only time the old paraffin lamps that swung, creaking, from the ancient beams were used was on Thanksgiving night. The place would be packed. All kinds of people that I had never seen before sitting uncomfortably on hard pews, trying once again to unravel the strange complications of standing and sitting and kneeling. If anyone had asked me as a child what the difference was between chapel and church, I would have said that people in church went on their knees to say their prayers, and people in chapel sat in their seats and hid their faces in their hands. But the discomfort of the chapel visitors during the liturgy disappeared as soon as a hymn was announced.

Everyone knew that the church people couldn't sing. Singing in church was a kind of dreary pilgrimage on and around the 'top line', with no effort at anything other than a ragged unison. And the

canu. Rhyw rygnu aflafar oedd canu yn yr eglwys, a phawb ohonom yn cystadlu i ddilyn y 'top line' cyn agosed ag yr oedd ansawdd ein lleisiau'n caniatáu. A'r person yn bloeddio'r geiriau allan ryw hanner gair o'n blaenau rhag ofn i ni ballu'n gyfan gwbl. Roedd fel rhywun yn halio rhyw hen geffyl anfodlon i fyny'r rhiw. Doedd hi byth yn hollol sicr y byddech chi'n cyrraedd y brig cyn syrthio'n bendramwnwgl i'r gwaelod yn ôl. Yn wir, digwyddai pan fyddai'r organydd mor ffôl â rhoi cynnig ar dôn anghyfarwydd i'w chwarae. Wedyn, fel y dechreuai pawb sylweddoli fod y nodau'n symud i fyny ac i lawr mewn modd cwbl annheg ac annisgwyl, fe fyddai'r naill ar ôl y llall yn rhoi i fyny'r ysbryd yn raddol gan adael y person a'r organydd i ganu deuawd yn y gangell, ymhell i ffwrdd oddi wrthym ni, greaduriaid cig a gwaed, yn griw siomedig, ffaeledig, â'n pennau yn ein llyfrau, rywle yng nghorff yr eglwys. Pawb wedyn yn ymuno'n gryglyd gras yn yr 'Amen' pan ddeuai, mewn rhyddhad a diolchgarwch fod penyd arall wedi dod i ben.

Ond roedd y capelwyr yn mwynhau canu. Roedden nhw'n codi ar eu traed, yn ysgwyd eu dillad yn rhydd, yn codi eu llyfrau o'u blaenau ac yn bwrw iddi. Ar noson Diolchgarwch roedd canu mawr yn yr eglwys. Roeddem ninnau'n codi calon, yn gwenu'n gyfrinachol ar ein gilydd, ac yn rhoi tipyn o lais yn y busnes hefyd. Ond fe fyddwn i'n gwrando. Gwrando ar y baswyr. Dyma'r unig dro i mi glywed baswyr – yn y gwasanaeth Diolchgarwch. Fe fyddai rhyw hanner dwsin ohonyn nhw fel arfer, hefo'i gilydd yn y cefn, yn disgwyl eu cyfle i rowlio i mewn yn fawr ac yn grand rywbryd yn ystod pob pennill. Roedd hynny'n ardderchog. Ac wedyn yr ymdeimlad o gynhesrwydd ar y diwedd wrth i bawb ystwyrian tua'r drws, gan wthio yn erbyn ei gilydd, gwisgo menig a chodi coleri. Roedd y gymdeithas yn gref ar noson Diolchgarwch, yn blanced gynnes o ddynoliaeth yn cau amdanom ni i gyd.

Mae'n sicr wrth edrych yn ôl fod adeilad yr eglwys a sŵn aflafar ein gwasanaethau wedi gadael argraff arnaf, a honno'n argraff heb fod yn anffafriol. Ond doedd dim cyswllt, hyd y galla i weld erbyn hyn, rhwng y math yna o argraff a negeseuon pwysicaf Cristionogaeth. Arferiad hanfodol i batrwm ein bywyd ni oedd mynd i'r eglwys.

Am y gweddill, mae 'nhad a mam wedi mynd, y ddau ohonyn nhw, ac mae Bob fy mrawd yn ffarmio Tŷ Coch. Fydda i ddim yn mynd yn ôl ryw lawer. Un arall o'r cymlethdodau personol sy'n

parson shouting out the words a syllable or so before everyone else, in case we should lose heart altogether and fade away into silence. It was like someone hauling an unwilling horse up a steep hill. If you arrived at the summit at all, and that was never certain, it was with great anxiety that the feat was achieved. Indeed, disaster did strike whenever the organist, in a mood of optimism, decided to embark on an unfamiliar tune. On those infrequent, but painfully memorable occasions, as everyone came to realise that the notes were moving up and down in a thoroughly unfair and unexpected way, one after the other would gradually give up the struggle, leaving the parson and the organist to sing a valiant duet in the chancel, far away from us, poor creatures of the earth, a disillusioned, faltering crew, our heads in our books, dotted around that marvellous grey building. Then everyone would guiltily join in the 'Amen', when it finally arrived, in grim thanksgiving that another penance was at an end.

But in the chapel people liked singing. They would get to their feet, shake their clothes about to secure greater ease of body movement, lift their books up in front of their faces, and begin. On Thanksgiving night, there was great singing in the church. And we would all lift up our hearts a little, grin conspiratorially at each other, and start to put a little life into the business ourselves. And I used to listen. Listen to the basses. This was the only time I ever heard basses. There would usually be about half a dozen of them, sitting together in the back, waiting their chance to thunder roundly in sometime during each verse. That was terrific. And then the feeling of warmth at the end as everyone shuffled towards the door, pushing against each other, drawing on gloves, raising collars against the wind that whistled in through the opened door. The community was powerful on Thanksgiving night, a warm blanket of humanity closing around us all.

The odd thing is that the ancient church and the sad sound of our singing has left a deep impression on my memory, and that impression, on the whole, a warm and safe one. But there is no connection, as far as my human intelligence can grasp it, between that impression and the kind of spiritual beliefs a true Christian believer would, I assume, aspire to. Going to church was simply a habit essential to the unchanging pattern of our lives.

For the rest, my father and mother have both gone now, and my

atalnodi ein bywydau ni i gyd, am wn i. Pe bawn i heb daro ar Sal yn y coleg – neu, fel y disgrifiais, pe bai hi heb daro arnaf i – fe fyddwn i wedi priodi Siân, gwraig Bob. Roedd Siân a minnau'n gariadon dyddiau ysgol. Y math o gariadon dyddiau ysgol oedd yn gwneud eu gwaith cartref hefo'i gilydd, yn mynd i'r pictiwrs hefo'i gilydd, yn rhan o'r un criw yn y clwb ieuenctid hefo'i gilydd. Roedd cyfnewid cusanau swil a chartrefol ar ddiwedd ein nosweithiau yn rhan o batrwm ehangach. Roeddem ni, mewn ffordd ddiniwed iawn, yn ŵr a gwraig eisoes. Ond heb unrhyw angerdd mawr. Heb deimlo'r rheidrwydd rhywiol aruthrol a deimlais ar unwaith hefo Sal. I mi, beth bynnag am Siân, doedd dim brys am bethau felly. Roedd Siân yn rhan o'r cefndir, fel yr eglwys a'r ffarm. Roeddwn i'n hoff ohoni yn yr un ffordd. Wn i ddim beth yn union oeddwn i i Siân. Ond roeddwn i'n fwy na hynny. Hefo mi yr oedd Siân wedi bwriadu byw ei bywyd, codi plant, bod yn wraig gynnes, drefnus, lân. Roedd hi'r pethau yna i gyd i Bob. A mwy o lawer.

Pan ddigwyddodd pethau mor gyflym hefo Sal, roedd yn rhaid i mi ddweud wrth Siân ar unwaith. Rydw i'n llwfr hollol mewn materion o'r fath. Fedra i ddim dweud unrhyw beth angenrheidiol annymunol wrth neb. Fe fydda i'n ei chael yn ddychrynllyd o anodd dweud wrth fachgen brwd, eiddgar ei fod wedi cael ei ollwng o'r tîm rygbi. Ac wrth gwrs, fel y mae'r pethau yma'n digwydd, y noson y deuthum i adref yn un swydd i ddweud wrth Siân oedd y tro cyntaf i mi sylwi ar ei phrydferthwch hi, mewn gwirionedd. Roeddem ni wedi tyfu hefo'n gilydd. Wedi newid gyda'n gilydd o fod yn blant i fod yn bobl mewn oed. Dydy rhywun ddim yn sylwi llawer ar nodweddion corfforol cyfeillion agos. Maen nhw yna. Maen nhw'n Siôn a Siân. Ac mae hynny'n ddigon. Hyd yn oed wrth ei dal yn fy mreichiau a'i chusanu, doeddwn i ddim wedi bod yn ymwybodol o'i phrydferthwch.

Roedd hyn i gyd yn corddi yn fy meddwl wrth i ni fynd am dro ar hyd ffordd y mynydd, ac fe sylwodd hi, wrth gwrs, fod rhywbeth o'i le.

'Beth sy'n bod, John?'

Doedd hi ddim yn edrych arna i. Roedd hi'n siarad yn dawel, dawel. Fel pe bai hi'n gwybod eisoes fod yr ateb i'w chwestiwn am agor gagendor o dristwch anobeithiol o'i blaen. Wnes innau ddim edrych arni hithau.

brother Bob farms Tŷ Coch. I don't go back there much. Another of those twists of cause and effect that punctuate all our lives, I suppose. If I hadn't met Sal at university – or, to be more accurate, as I've already said, if she hadn't met me – I would have married Siân, Bob's wife. Siân and I were school sweethearts. The kind of sweethearts who did their homework together, went to the pictures together, went to the same Youth Club and Aelwyd together. The exchange of homely goodnight kisses at the end of these evenings was already part of a total relationship. In a very simple sense, we were already man and wife. But without any deeper passion. Without ever feeling that terrible sense of need that I felt at once with Sal. For me, however things were with Siân, there was no great urge to move into deeper waters. Siân was a part of life, like the church and the farm. I was fond of her with the same kind of fondness. I don't quite know what I meant to Siân. But I'm sure, looking back, that I meant more than that. It was with me that Siân had intended living her life, raising her children, becoming a clean, loving, tidy wife and mother. She was all those things to Bob.

When things happened so quickly with Sal, I had to tell Siân at once. I'm entirely cowardly in such matters. I can't tell anyone those necessary hard truths that sometimes have to be told. I find it exceptionally difficult to tell a keen, eager lad that he's been dropped from the rugby team. And, of course, as these things happen, the day I came to tell Siân was the first time I really looked at her, and saw how beautiful she was. We'd grown up together. Changed together from childhood into adulthood. One doesn't notice all that much the physical attributes of long-standing friends. They are there. They are Jack and Jill. And that's enough. Even as I held her in my arms and kissed her, I would often be thinking about something else.

We went for a walk along the mountainside, and she realised, of course, that there was something wrong.

'What's wrong, John?'

She wasn't going to look at me. She was speaking very quietly. As though she already knew that the answer to her question was going to open vast chasms in front of her. And I didn't look at her.

'Siân, rydw i wedi cwarfod rhywun arall.'

Roedd y peth wedi ei ddweud. Y garreg wedi ei thaflu i'r llyn. A gwyliais y crychau'n ymestyn. Ond ddywedodd Siân ddim un gair.

Dim ond cerdded yn ei blaen, cipio ambell laswelltyn o'r gwrych a'i dynnu'n ddarnau'n araf a'i luchio wedyn i'r ffos. Roedd yr haul yn machlud dros y môr a'r awyr yn olau.

Rwy'n gwybod yn union pa ddyddiad oedd hi. Mawrth y pymthegfed, wythnos ar ôl fy mhen-blwydd i'n ugain oed. Fe gefais anrheg ben-blwydd oddi wrth Siân, wrth gwrs. A cherdyn llawn cusanau a sôn am gariad. Roedd blas y gwanwyn ym mhobman, yr eithin yn anhygoel o lachar a'r briallu'n drwch. Er ein bod ni'n dringo i fyny ochrau'r mynydd, a hithau'n machludo, roedd awel y nos yn ddigon cynnes i mi fod yn llewys fy nghrys, a hithau mewn ffrog haf ddilewys.

Dechreuais edrych arni trwy gornel fy llygaid ac, wrth edrych, sylwi am y tro cyntaf ar brydferthwch tywyll ei gwallt hir a thro ei gwddf a llawnder crynion ei breichiau noeth. Roedd hi'n fwy prydferth na Sal. Fedrwn i ddim cofio wyneb Sal o gwbl. Cefais foment o banig. Oeddwn i, mewn gwirionedd, mewn cariad â Sal, a minnau'n methu cofio sut un oedd hi?

Gwnes ymdrech fawr i'w gweld, i ail-greu ei phresenoldeb trydanol yno ar lwybr y mynydd. Ac fe fethais. Gallwn weld ffrâm ei gwallt golau, ond roedd ei hwyneb yn wag. Siân oedd yn llenwi fy llygaid a'm calon ar y funud. Rwy'n gwybod imi syrthio mewn cariad hefo Siân hefyd y munud hwnnw. Am y tro cyntaf roedd edrych arni hi'n achosi poen corfforol. Roeddwn i'n brifo o gariad. Roedd dagrau'n neidio i'm llygaid wrth i mi ei gwylio'n syllu allan yn bell dros y môr, a'i dwylo'n plycio'n galed, ffyrnig yn y coesau gwellt. Safai'n syth iawn, ei choesau'n solet, ac ardro esmwyth ei chluniau'n gwthio'n hardd yn erbyn teneuwch ei ffrog. Roedd y ffrog yn felyn, wedi ei gwneud allan o ryw ddeunydd crychlyd, ffres oedd yn clecian yn sisialog yn y gwynt. Roedd hi'n gwta hefyd, yn ôl ffasiwn y blynyddoedd hynny, ac roedd coler uchel iddi, yn gwthio yn erbyn tonnau disglair y gwallt o gwmpas y gwegil. Gwelais y cyfan yn ystod y tawelwch dwfn ac fe syrthiais mewn cariad am i mi edrych a gweld am y tro cyntaf.

Ond, gyda phendantrwydd absoliwt yr ifanc yn y cyfnod hwnnw, fe wyddwn ei bod yn rhy hwyr. Roeddwn newydd fynd yr holl ffordd hefo Sal. Roeddwn i'n mynd i briodi Sal. Roedd hi'n rhy hwyr

'Siân, I've met somebody else.'

It had been said. The pebble had been tossed into the water. And I waited for the ripples to spread. But Siân didn't say a word. She just walked on, plucked an occasional blade of grass from the hedge, tore it slowly into thin strips, and then threw it back. The sun was setting over the sea, and the sky was translucent.

I know exactly what day it was. March the fifteenth, a week after my twentieth birthday. I'd had a birthday present from Siân, of course. And a card full of kisses and words of love. The early spring was everywhere, the gorse incredibly golden, and the primroses thick under the hedgerows. Although we were climbing gradually, and although the sun was slowly sinking, the evening air was warm enough for me to be in shirtsleeves, and for Siân to be wearing a sleeveless summer dress.

I started to steal glances at her, and as I looked I saw the dark beauty of her long hair, and the curve of her neck, and the lovely roundness of her bare arms. She was more beautiful than Sal. I couldn't remember what Sal looked like at all. I felt a momentary panic. Was I really in love with Sal, when I couldn't even remember what she looked like?

I made a great effort to recreate her in front of my eyes, the marvellous vibrant life of her, there on the mountain path. And I failed. I could see the bouncing mass of fair hair, but her face was featureless. Siân filled my eyes and my heart at that moment. I know that I certainly fell in love with Siân too then. For the first time, the act of looking at her caused me physical pain. Love was a hurt. Tears leapt to my eyes as I watched her staring far out over the sea, her hands plucking fiercely, harshly at the stalks of couch grass. She stood very straight, her legs braced, and the slim curve of her hips subtle and hesitant inside the thinness of the dress she wore. The dress was yellow, made out of some crisp, clean material that flicked and whispered around her in the strengthening wind. It was short as well, of course, as was fashionable in those days, and it had a high collar, pushing up into tight curls of hair around the nape of her neck. I saw it all during that long silence, and I fell in love because I had looked and seen for the first time.

But, with the absolute certainty of youth at that time, I also knew it was too late. I had just made love all night with Sal. I was going to marry Sal. It was too late for me to fall in love with Siân. The

i mi syrthio mewn cariad hefo Siân. Roedd y rhesymeg yn syml a chronoleg y peth yn bwysig dros ben. Dydw i ddim yn credu fod pobl ifanc heddiw'n edrych ar bethau fel yna. Mae eu penderfyniadau hwy yn llawer mwy ymarferol. Mae eu rhesymeg hwy yn rhesymeg feddyliol i raddau mwy o lawer. Creaduriaid yr emosiwn, wedi ein rheoli gan gonfensiynau emosiwn, dyna oedd ein cenhedlaeth ni. Wrth edrych ar y caru cyhoeddus, agored, di-wrid, sy'n mynd ymlaen mor ymddangosiadol fecanyddol ymysg fy myfyrwyr i, rwy'n amau a fydd ganddyn nhw'r fath funudau o ramant pur i'w cadw yn y cof. Ac eto, masg ydy bywyd i gyd. Dan y masg dydy'r berw anwadal o deimlad a gwrthdeimlad ddim yn newid. Maen nhw, siŵr o fod, yr un mor agored i'r archoll a greais i ar enaid Siân.

'Wyt ti'n siŵr?'

Gofynnodd y cwestiwn ar ôl cyfnod maith o dawelwch. Oeddwn, roeddwn i'n siŵr fod ffawd wedi chwarae tric creulon. Roeddwn i'n siŵr fy mod wedi syrthio mewn cariad â Siân, a hithau'n rhy hwyr. Roeddwn i'n siŵr fy mod yn casáu Sal, a phob munud a dreuliais i hefo hi. Roeddwn i'n siŵr. Fedrwn i ddim lleisio'r ateb. Nodiais yn ddwl, heb edrych arni.

'Dyna fo ta.'

Doeddem ni ddim yn gwybod sut i ymwahanu. Fe gerddsom ni ymlaen am filltir neu fwy heb ddweud dim. Roeddem ni'n gwybod y byddai'r ymwahanu'n derfynol. Doedd y naill na'r llall ohonom ni ddim am gymryd y cam cyntaf. Roedd cwlwm tyn yn fy mol ar hyd y ffordd. O'r diwedd fe gyrhaeddsom ni ffordd drol rhwng y cloddiau uchel, lle gellid torri i lawr a chyrraedd cartref Siân. Hi wnaeth y penderfyniad.

'Mi a' i adra ta. Mi wela i di o gwmpas.'

Cerddodd i lawr y ffordd gul a thyfiant gwyllt y gwanwyn yn cau amdani, ac fe fethais ddweud unrhyw fath o ffarwél na dim. Fe briododd Siân â Bob, fy mrawd. Fe es i i'r briodas, wrth gwrs. Fe fyddwn ni'n anfon anrhegion Nadolig i blant ein gilydd. Mae Siân a Bob wedi bod yn aros hefo ni yng Nghaerdydd, hyd yn oed. Ond fydda i ddim yn galw'n aml hefo nhw yn Llŷn. Mae'r daith yn bell i'r plant, yn un peth. A dydw i ddim yn siŵr o gwbl beth fyddai'r canlyniad pe baem ni hefo'n gilydd am ddigon o amser i'r tân ailgynnau. Dydy teimladau mor ddwfn ddim, mewn gwirionedd, yn marw. Maen nhw'n aros mewn rhewgell yn rhywle, hwyrach am byth. Dydyn nhw ddim yn marw. Ac mae Bob mewn cariad â Siân. Roedd o mewn cariad â hi o'r cychwyn; fi oedd ar y ffordd.

logic of it was simple, and the chronology of it was extremely important. I don't think young people today look at things quite like that. I think their decisions are much more practical. Their logic is a much more considered logic. We were the creatures of emotion, ruled by emotional conventions in those days. Looking at the public, open, unconcerned lovemaking that goes on so apparently mechanically among my students, I doubt whether they will ever have such moments of simple sentimentality to store away in their memory. And yet, all life is a mask. Beneath the mask, the haphazard turmoil of feeling and counterfeeling doesn't change. They must be just as vulnerable to the kind of wound that I had just inflicted on Siân.

'Are you sure?'

She asked the question after the long silence. Yes, I was sure, that fate had played a stupid trick. I was sure that I had fallen in love with Siân when it was too late. I was sure that I hated Sal, and every minute I'd spent with her. I was sure. I couldn't formulate any reply. I just nodded, without looking at her.

'Well, that's it then.'

We didn't know how to part. We just walked on for a mile or more without saying anything. We knew that the parting was going to be final. Neither of us wanted to take the decisive step. At last, we reached the rough track between high hedges where we normally turned down in order to find our way back to Siân's home. It was Siân who made the decision.

'I'll go home, then. See you around.'

She walked down the narrow lane with the wild spring growth closing in around her and I couldn't say any kind of goodbye or anything. Siân married Bob, my brother. I went to the wedding, of course. We send Christmas presents to each other's children. Siân and Bob have even been to stay with us in Cardiff. But I don't often go up to see them. It's a long journey for the children for one thing. And I'm not at all sure what would happen if we were together long enough for fires to be rekindled. Feelings as deep as that don't, as a matter of fact, ever die. They store themselves away in a deepfreeze somewhere, perhaps for ever. They don't just die. And Bob loves Siân. He was in love with her all along; except that I was in the way.

Fe fu farw'r hen bobl, fel y dywedais. Roedd y ddau'n weddol hen pan oeddem ni'n blant, wedi aros yn hir cyn priodi, ac fe aethon nhw o fewn blwyddyn i'w gilydd.

Ac mae cyfeillion ysgol, cyfeillion chweched dosbarth, beth bynnag, ar hyd a lled y byd. Ein cenhedlaeth ni o fechgyn a merched siarp, addawol, galluog i basio arholiadau, sydd wedi chwalu'r gymdeithas unwaith ac am byth. Rydym ni i gyd wedi mynd. A phawb wedi'n canmol ni am wneud hynny, er eu bod nhw'n cwyno'n enbyd ar yr un pryd mai Saeson sydd wedi cymryd ein lle ni. Jac Hughes wedi mynd yn wyddonydd enwog yn Aldermaston ac wedi mynd â Jên y Gorswen hefo fo yn wraig. Jên oedd y fwyaf galluog ohonom ni, a'r fwyaf tanbaid-Gymreig yn y dyddiau hynny. A Gareth Tyn Lôn yn dysgu ym Manceinion, a Myrddin oedd yn arfer cadw gôl i ail dîm Pwllheli wedi mynd i Ganada, a . . . wel, dyna'r patrwm. Ac mae'n llai gwir am yr ardal hon nag am y rhan fwyaf o ardaloedd. Mae pobl wedi mudo o'r ardaloedd gwledig ers cenedlaethau, wrth gwrs, ond i ni y daeth y cyfle mawr. Y cyfle i sgubo'r lle'n lân o dalent ac egni a dychymyg, fel mewn cyfnodau o ryfel, i adael yr hen a'r methiantus a'r dwl a'r dilewyrch ar ôl i gynnal tân ar yr hen aelwydydd. Ac fe gymersom ni'n cyfle. Fe aethom ni fel tân gwyllt ar hyd a lled y byd. Ai er lles ai peidio, dydw i ddim yn siŵr.

Mae hi'n nos Sul. Ar nos Sul, fel y dwedais i, y dechreuodd y syniad gorddi yn fy meddwl. Roedd y parti'r noson gynt wedi cael mwy o effaith arnaf nag a feddyliais ar y pryd. Roedd y mân brebliach, y malais cymharol ddiniwed, a'r sgwrsio cynyddol sgrechlyd, yn ymddangos yn wahanol i ddyn oedd yn dal llond gwydr o sudd tomato yn ei law i'r modd yr ymddangosai i'r un dyn a thipyn go lew o alcohol y tu mewn iddo. Gorweddais yn effro yn fy ngwely yn oriau mân y bore yn trin a thrafod drosodd a throsodd yn gymysglyd yn fy meddwl. Roedd rhyw reidrwydd yn tyfu arnaf i dorri'n rhydd o'r holl gylch roeddem ni'n troi ynddo. Doeddwn i ddim yn glir iawn pam. Roeddem ni'n gallu siarad Cymraeg, roedd y plant wrthi hi'n gwneud hyn a'r llall, roedd Sal yn dysgu. Roeddwn i ynghanol y miri rygbi !

Roedd mwy o Gymry Cymraeg diddorol ac egnïol yng Nghaerdydd y dyddiau hyn nag mewn unrhyw dref wledig. Ac eto roedd y rheidrwydd yn tyfu, yr ymdeimlad fod rhywbeth sylfaenol o'i le ar ein ffordd ni o fyw.

My father and mother died, as I said. They were both getting on when we were children, having waited a long time before they got married. And they went within a year of each other.

And school friends, sixth-form friends anyhow, are all over the world by now. It's our generation of sharp, promising boys and girls, capable of passing examinations, who have scattered, destroyed the old society once and for all. We've all gone. And everybody praising us for doing it, complaining bitterly at the same time about the strangers who have come to take our place. Jac Hughes gone to be a famous scientist in Aldermaston, taking Jane, Gorswen with him to be his wife. Jane was the most talented of us, and the most passionately Welsh in those days. And Gareth, Tynlôn, is teaching in Manchester, and Myrddin who used to keep goal for Pwllheli Reserves gone to Canada, and . . . well that's the pattern. And it's less true about this locality than about many others. People have migrated from the rural areas for generations, centuries maybe, but we were the ones who made the breakthrough. We were the ones who swept the place clean of talent and energy and imagination, leaving the old and the handicapped and the dull-witted behind to keep the home fires burning for us. We got our chance and we certainly took it. Whether for good or ill, I'm not at all sure.

It's Sunday night. It was on a Sunday night, as I said, that the idea started to germinate in my mind. The party the night before had a greater effect on me than I thought at the time. All the social chatter, the comparatively innocent malice, and the increasing hysteria of the conversation, appeared quite different to a man holding half a tomato juice in his hand than to one who had a reasonable ration of alcohol inside him. I lay awake in my bed in the early hours, twisting and turning, and ineffectively trying to sort things out in my mind. The truth was that I felt a growing necessity to break free from the whole world we were moving in. I wasn't really very sure why. We were able to maintain our Welsh traditions, the children were busy doing this and that, Sal was happy in her work. I was in the best place possible to live my rugby life.

There were more interesting and lively Welsh people in Cardiff these days, even Welsh-speaking, than in any country town. And yet there was an insistent clamour inside me, the feeling that something was fundamentally wrong.

100

Yn y bore es i grwydro i'r parc a chael fy llenwi â'r un teimlad. Wrth gerdded ar hyd glan y llyn ym Mharc y Rhath, ac edrych ar yr holl bobl bore Sul yn gwau fel gwenyn o'm cwmpas, teimlais ddiflastod dychrynllyd yn fy meddiannu. Eisteddais ar fainc dan goeden. Roedd hi'n goeden ddigon normal, am wn i, ac roedd y gwelltglas dan fy nhraed yn welltglas digon normal. Ond ffieiddiais wrth y cyfan. Teimlwn yn gorfforol sâl. Hwyrach mai effaith cyffuriau oedd o, wedi'r cyfan. Hwyrach fod Sal yn iawn. Ond fe wyddwn i na allwn i ddim byw am faint bynnag o amser oedd ar ôl ymysg y tai a'r bobl a'r cŵn hyn. Ymysg y cychod hwyliau tegan ysblennydd yr oedd rhyw fechgyn yn eu hwylio ar y llyn. Ymysg y tai cochion, hunanfodlon, gyda'u cyrn cyfansawdd yn cyhoeddi mor niferus oedd eu hystafelloedd. Ymysg Saeson bore Sul Caerdydd.

Codais a cherdded yn boenus-araf i fyny'r ffordd asffalt i gyfeiriad y giât. Ac i'r lôn, lle'r oedd ceir bore Sul yn gwibio heibio, yn llwythog o blant ac o gŵn dof ac o bapurau newydd. Yn y tŷ dros y ffordd roedd rhyw ddyn canol-oed yn prowlan o gwmpas ei bumllath sgwâr o ardd ffrynt yn ei slipars. Fel pe bai'n synhwyro'r gwanwyn yn ddrwgdybus. Yna clywais lais yn gweiddi o'r tŷ.

'*I can't get the Hoover to work, Walter. Come and see to it, will you?*'

Tynnodd y dyn ei sbectol a'i rhwbio'n ofalus cyn troi'n fwriadus yn ôl i gyfeiriad y tŷ. Trwy'r ffenest gallwn weld cwpwrdd coctel sgleiniog, anferth yn rhedeg ar hyd un wal o'r ystafell fyw, a llun castell Windsor mewn tapestri ffatri yn crogi uwch ei ben.

Troais goler fy nghôt i fyny. I mi roedd y gwynt yn fain, er bod pâr ifanc yn cerdded o'm blaen yn wanwynol ysgafn, y ddau'n unrhyw-ddilladog mewn crys a throwsus tyn. Roedden nhw'n dal eu breichiau'n llac am ei gilydd. Ac fe fyddwn i wedi rhoi'r byd crwn, cyfan am gael cymryd eu lle y noson honno. Fe es i Eglwys Gadeiriol Llandâf. Doeddwn i ddim wedi bod y tu mewn i'r adeilad erioed. I ddweud y gwir, erbyn meddwl, doeddwn i ddim wedi bod mewn unrhyw eglwys na chapel ers blynyddoedd, ar wahân i'r achosion clasurol – priodasau ac angladdau. Mae gormod i'w wneud dros y penwythnos. Fe fydd Sal yn mynd hefo'r hogiau ambell waith i Eglwys Dewi Sant – fe gollodd hithau'r arferiad o fynd i'r capel ar ôl priodi – ond dydd Sul ydy'r diwrnod pryd y

Next morning I went by myself to wander around the park and was consumed with the same feeling. Walking by the lake in Roath Park, looking at all the Sunday morning people busily relaxing all around me, I felt a sense of utter desolation. I sat on a bench beneath a tree. It was a perfectly normal tree, as far as I knew, and the grass under my feet was perfectly normal grass, but the whole thing filled me with disgust. I felt physically ill. Perhaps it was just the effect of the drugs. Perhaps Sal was right. But I knew that I couldn't live, for however long I had left, among these houses and these people and these dogs. Among the splendid toy sailing boats that some boys were playing with on the lake. Among the self-satisfied red brick houses, with their batteries of chimney stacks announcing how numerous were their rooms. Among Cardiff's Sunday morning people.

I got up and walked painfully slowly up the asphalt path towards the gate. And onto the pavement, where the Sunday morning cars were flashing past, full of children and well-behaved animals and Sunday papers. In the house across the way a middle aged man was prowling around his five square yards of front garden in his slippers. Greeting the spring with suspicion. Then I heard a voice shouting from the house.

'I can't get the Hoover to work, Walter. Come and see to it will you?'

The man took off his spectacles and polished them carefully before walking purposefully back into the house. Through the window I could see a huge shiny cocktail cabinet running the length of one wall of the living room, and a large print of Windsor Castle hanging on the wall above it.

I turned up the collar of my coat. For me the wind was cold, although there was a boy and girl walking in front of me dressed in their unisex summer uniform of shirt and jeans. They had their arms loosely about each other. I wandered up in the direction of Llandaff fields and eventually gravitated towards the cathedral. I went in. I'd never been into the place before. In fact, come to think of it, I hadn't been in any church or chapel for years, apart from the ceremonial occasions – weddings and funerals. There's too much to do over the weekends. Sal takes the boys occasionally to Dewi Sant – she stopped going to chapel after we got married – but Sunday's the day when we all go as a family for a trip into the country.

byddwn ni'n mynd fel teulu allan o'r ddinas am dro i'r wlad. Yn arbennig felly yn yr haf. Ond fe fyddem ni'n gwneud ymdrech i fynd yn y gaeaf hefyd – i'r Bannau ac o gwmpas y Fro. Mae digon o leoedd i fynd.

Gan fod y Sadyrnau mor brysur, gwersi nofio, gwersi marchogaeth, gwersi dawnsio, gêm yn rhywle i mi anfon adroddiad arni, siopa ar gyfer yr wythnos wedyn, a chan fod Sal yn gweithio o ddydd Llun i ddydd Gwener, dydd Sul ydy'r unig ddiwrnod y gallwn ni fod gyda'n gilydd fel teulu. Ac felly rydym ni'n arfer mynd i gerdded. Mae Menna, wrth gwrs, erbyn hyn wedi datgysylltu ei hunan oddi wrth y trampio. Ac wedyn ar y Suliau wedi gêm gydwladol mae'n rhaid gwylio'r gêm ar y teledu a gwrando ar farn y dysgedigion ar *Sports Line-up*. Mewn gair, does dim llawer o amser.

Pan gerddais i lawr y grisiau carreg i'r pant lle mae'r eglwys yn sefyll, roedd llewyrch y goleuadau trwy'r ffenestri lliw yn fy nhywys yn ôl ar drawiad i'r hen eglwys yng nghysgod yr Eifl. Doedd dim byd arall yn gyffredin rhyngddyn nhw. Ond, ar unwaith, cofiais nosweithiau yn yr hydref a'r gaeaf – nid, am ryw reswm, yn y gwanwyn – a minnau'n cerdded yn llaw Mam i fyny'r llwybr at ddrws yr eglwys a'r goleuadau'n gynnes y tu mewn. Yna fe gofiais nad oedd gennym ni wasanaethau yn y nos fel arfer. Chwiliais yn fy nghof am ystyr yr atgof. A sylweddolais mai unwaith yn unig yr oedd hyn wedi digwydd, ar wahân i'r gwasanaethau diolch. Roedd person newydd yn cael ei sefydlu ganol gaeaf, roedd y llwybr yn rhewllyd, ac fe syrthiodd Mam ar wastad ei chefn cyn cyrraedd y drws gan fy nhynnu innau i lawr hefo hi. Dyna lle'r oedd y ddau ohonom yn eistedd yn y tywyllwch ar y llwybr gro, a'r golau'n ein gwahodd i mewn. Rhyw bedair oed oeddwn i a dechreuais weiddi crio. Ond chwerthin wnaeth Mam, a chodi ar ei thraed yn fustachlyd a'm tynnu innau i mewn i glydwch yr adeilad.

Cerddais i mewn trwy'r drws anferth i'r eglwys fawr yn Llandâf a phrofais syndod penysgafn wrth weld llawr yr eglwys droedfeddi islaw, a rhagor o risiau carreg yn arwain i lawr o'r drws i'r eglwys ei hunan. Rhyw ddwsin o bobl oedd yn yr holl le, ar wasgar yma ac acw, a dau ofalydd mewn gynau duon yn cerdded o gwmpas. Daeth y côr i mewn a cherdded yn sobor trwy'r sgrîn dan Grist Epstein ac i'r seddau. A dechreuodd y gwasanaeth. Fe wyddwn o'r munudau cyntaf fy mod mewn awyrgylch hollol ddiarth. Roedd mor amherthnasol i'm bywyd i â phe bawn i wedi mynd i mewn i deml

Especially in the summer. But we used to make an effort to go in the winter as well – up to the Beacons or down into the Vale. There are plenty of places to go. Saturdays being so busy, swimming lessons, riding lessons, dancing lessons, a match somewhere for me to send a report on, shopping for the next week, since Sal is working from Monday to Friday – Sunday's the only day when we can be together as a family. And so we go off into the country. Menna, of course, has contracted out of all this now, and she goes her own way. And then on the Sundays after an International it's necessary to watch the game on the telly and listen to the experts on *Sports Line-Up*. All in all there isn't much time.

When I walked down the stone steps into the hollow where the church stands, the lights shining through the stained-glass windows took me back at once to the old church in the shadow of Yr Eifl. There was nothing else in common between the two buildings. But, all at once, I remembered evenings in the autumn and winter – not for some reason in the spring – with me walking, clasping my mother's hand, up the path to the church door with the flickering lights warm inside. Then I remembered that we didn't usually have services in the evening. I searched my memory for the meaning of that recollection. And I realised that this had only happened once, apart from the Thanksgiving services. A new parson was being inducted in the middle of winter, the path was icy, and my mother slipped before reaching the door, dragging me down with her. There the two of us sat in the dark on the gravel path, the lights inviting us in. I was about four and I started to cry. But my mother laughed, struggled clumsily to her feet and drew me into the cosiness of the building.

I walked in through the great door into the huge church in Llandaff and experienced a dizzy shock as I saw the floor of the church some feet below me, and more stone steps leading down from the door into the church itself. There were about a dozen people in the whole place, dotted incongruously here and there. The choir came in and marched sombrely through the screen beneath the Epstein Christ and into their stalls. And the service began. I knew from the first chords of the organ that I was in an entirely alien environment. It was all as unrelated to my life as if I had walked into a Buddhist temple in India. I walked out on tiptoe.

Buddha rywle ym mhellter y Dwyrain. Cerddais allan yn ofalus. Nodiodd y gofalwyr fel gweinyddion mewn bwyty go grand. Yn fud. Yn hynod gwrtais.

Roedd yr haul yn tywynnu. Yn creu patrymau symudol, cymhleth ar y gwellt. Crwydrais yn ddi-hid oddi ar y llwybr, heibio i gornel yr adeilad, a draw wysg fy nhrwyn i'r ardd gysgodol sy'n gorwedd y tu draw i'r clas swyddogol. Mae hi'n ardd ryfedd. Gallech feddwl ei bod wedi ei chreu'n un swydd er mwyn gwneud ffilmiau o olygfeydd allan o nofelau Dickens. Nid Daniel Owen. Neb Cymraeg. Dickens. Gardd Seisnig ydy hi. Gardd y gallai'r ferch yn *Great Expectations* – Estella – gerdded gan ddenu'r Pip druan diniwed ar ei hôl. Roedd y gwair wedi tyfu'n dal, a'r chwyn hefyd. Roedd hyd yn oed y blodau'n ymddangos yn hen-ffasiwn.

Eisteddais ar hen fainc garreg dan goeden anferth, coeden hen iawn. O gwmpas, yn y gwair, roedd ambell garreg fedd yn gwthio'i phen i fyny'n feddw. Eisteddais ac fe allwn glywed swn y gerddoriaeth gaboledig yn chwyddo ac yn diflannu, trai a llanw, o'r eglwys a oedd bellach o'r golwg. Nid gardd wedi ei chreu i ddynwared Dickens oedd hon. Gardd Fictoraidd go iawn oedd hi. Wedi ei gadael yma a'i hanghofio. Doedd dim arwydd fod neb arall o gwbl wedi bod yn eistedd yn y fan hyn, ar y fainc garreg, erioed. Roedd dail yr hydref diwethaf wedi suddo'n araf ac yn brintiedig i'r pridd dan fy nhraed ac yr oedd mwsogl gwyrdd-olau'n dringo o gwmpas cefn y sedd. Gellid eistedd yma'n hir iawn, heb deimlo'r angen i symud o gwbl. Heb deimlo'r angen i fod yn weithredol.

Ac eto, pan godais, dyna beth oeddwn i'n ei deimlo. A'i deimlo i'r byw. Os mai misoedd – wythnosau? – oedd gennyf . . . O Dduw mawr, bob tro roeddwn i'n lleisio'r peth i mi fy hun, dweud y geiriau, gosod y ffaith mewn fframwaith, roedd y dagrau ddiawl yn mynnu gwthio'u ffordd i fyny. Ond bellach roeddwn i'n gorfod dechrau credu. Roedd y boen yn waeth. A doedd o byth bellach yn diflannu'n llwyr. Roedd o eisoes yn dechrau newid fy nghorff i. A'i benderfyniad o, a'i ddyfalbarhad o, a'i effaith barhaol o, dyna oedd yn wir ddychryn. Pan ddeuai a mynd, trywanu a rhedeg i ffwrdd i guddio, fel y byddai Llŷr hefo'i gleddyf pren yn dair a phedair oed, roedd yn hawdd ei anwybyddu, a chredu, bob tro y ciliai, na ddeuai fyth yn ei ôl wedyn. Hyd nes y deuai'r tro nesaf. A'r tro nesaf. Ond faint bynnag o weithiau y deuai, cyn belled ag y gellid cael gwared ag o, roedd modd credu nad oedd o ddim yn bwysig. Unwaith y dechreuodd dyfu'n rhan barhaol ohonof i, aeth hynny'n amhosibl.

The vergers nodded like waiters in a rather smart restaurant. Silently. Very courteously.

The sun shone. Creating complex moving patterns on the grass. I wandered heedlessly off the path, past the corner of the building, and found myself in the sheltered garden that lies beyond the cathedral close. It's a peculiar garden. You might think that it had been deliberately created in order to film scenes out of the novels of Dickens. Not a Welsh novelist. Dickens. It's an English garden. A garden the girl in *Great Expectations* – Estella – could have walked in, drawing poor innocent Pip after her. The grass had grown tall, and the weeds too. Even the flowers seemed old-fashioned.

I sat on an old stone bench beneath a huge spreading tree, a very old tree. All around, through the grass, an occasional gravestone thrust up its head drunkenly. I sat and I could hear the sounds of the polished singing rising and falling, ebb and flow, from the church which was by now out of sight. No, it wasn't a garden created in the image of Dickens. It actually was a Victorian garden. Left here and forgotten. There was no indication that anyone else had ever sat here on this stone bench, ever. The leaves of the previous autumn had imprinted themselves gradually in the earth beneath my feet and a light, dry moss was slowly covering the stone. You could sit here for a very long time, without feeling the need to move at all . . . Without feeling the need for action.

And yet, when I got up, that's exactly what I did feel. And I felt it intensely. If I only had months – weeks? . . . every time I voiced the thing to myself, it still seemed totally unreal. But I had to start believing it. The pain was worse. And now it never disappeared altogether. It was already beginning to change my body. And its determination, its persistence, its permanent effect, that was what really scared me. When it came and went, thrusting and retreating, as Llŷr used to with his wooden sword when he was three and four years old, it was easy to ignore it, and believe, every time it went, that it wouldn't come back. Until it came the next time. And the next time. But however many times it came, as long as it went away again, you could believe that it wasn't important. Once it became a permanent part of me, from then on that was impossible.

Am ddyddiau, wrth gwrs, roeddwn i'n dal i ddisgwyl iddo fynd. Fe fyddwn i'n cysgu yn y nos gan gredu'n ffyddiog y byddai wedi mynd erbyn y bore. Ac wedyn, ganol nos, fe fyddwn i'n deffro i'w fud forthwylio rywle yn y dyfnderoedd. Ac wrth i mi ddeffro'n llawn yn y bore a gwthio cwsg i ffwrdd roedd y boen yn dechrau gwaethygu. Pa mor effro bynnag oedd y gyfundrefn nerfol, dyna pa mor effro oedd y boen.

Y nos honno, wrth godi o'r sedd garreg, daeth y teimlad drosof yn gryfach nag erioed. Os mai wythnosau oedd gennyf, os oedd y boen am waethygu'n gyson, onid oedd gweithredu'n well na disgwyl? Beth oedd pwrpas gorwedd i lawr a disgwyl am y diwedd? Fe fyddai'n well rhoi terfyn ar bethau ar unwaith. Y cwestiwn oedd sut i wneud hynny. Oedd unrhyw ffordd ddi-boen i'w chael? A ellid darfod, heb ffŷs, heb boen, yn gyfforddus? Mynd o'r dydd i'r nos yn dawel, heb greu trafferth i neb? Pentwr o bils oedd yr ateb gorau. Llond y botel ar unwaith. Fyddai hynny'n ddigon? Pan gerddais yn drafferthus i fyny'r grisiau carreg yn ôl at y car, a'm hysgyfaint eisoes yn dechrau gwegian, fel petawn innau'n dioddef o glefyd y llwch, roeddwn i wedi penderfynu. Doedd dim pwrpas aros. Roedd yn beth mwy urddasol gweithredu.

Ac wedyn, yr un mor gyflym, fel yr eisteddwn yn y car, yn gweld fy nghorff yn swpyn diymadferth yn rhywle, a Sal yn dod ar ei draws, neu Menna, neu – o Dduw mawr – neu Llŷr, chwalwyd y penderfyniad yn llwyr. Teimlais ffieidd-dod corfforol at yr hunan a ganiataodd i mi wneud y fath benderfyniad. Edrychais i lawr y grisiau carreg at yr eglwys a'i ffenestri golau mewn dicter. Ar honno rywsut yr oedd y bai. '*To cease upon the midnight with no pain.*' Doeddwn i ddim wedi darllen Keats ers dyddiau ysgol. Doeddwn i ddim yn ddarllenwr barddoniaeth, a dweud y lleiaf. Ond daeth y llinell i'm meddwl fel ergyd o wn.

Ac fe allwn gofio prynhawniau gaeaf yn yr ystafell ddosbarth a'r athro Saesneg ym Mhwllheli, athro a ddaeth yn enwog fel nofelydd yn ddiweddarach, yn darllen Keats yn ysgafn ysgafn. Roedd yr ystafell fechan yn rhy gynnes o wres yr hen stof fawr yn y gornel. Roeddem ni'n hanner-cysgu, y goleuadau hen-ffasiwn yn felyn, a'r prynhawn eiraog yn tywyllu'r tu allan. Y rhan fwyaf o'r amser yn ystod y fath wers fe fyddwn i'n synfyfyrio'n felys a'm meddwl ymhell ar ryw gae chwarae yn rhywle. Roedd yr ysgol wedi dechrau chwarae rygbi, a minnau wedi cymryd at y gêm ar

For days, of course, I was still waiting for it to go away. I would go to sleep at night fiercely believing that it would have gone by the morning. And then, in the middle of the night, I would wake up to its insistent hammering somewhere inside me. And as I woke fully in the morning and struggled reluctantly out of sleep, the pain began to grow worse. However wide awake the nervous system was, that's how wide awake the pain was.

That night, as I got up from my stone seat, the feeling came over me more strongly than ever. If I had just weeks to go, if the pain was going to worsen progressively, wasn't action better than waiting? What was the point of lying down and waiting for the end? It would be better to put an end to things at once. The question was how to do that. Was there any painless way at all? Could you just snuff it all out, without fuss, without pain, comfortably? Go quietly from day to night, without causing anybody any problems? Plenty of pills would be the best answer. A bottleful all at once. Would that be enough? When I walked with difficulty up the stone steps back to the car, my lungs already creaking, as if I too suffered from the dust, I had decided. There was no point in waiting. It was more dignified to take action.

And then, just as quickly, as I sat in the car, seeing my own body a lifeless bundle somewhere, and Sal finding it, or Menna, or – Oh God – or Llŷr, the mood immediately dissipated. I felt physically disgusted with the self that had come to such a decision. I looked down the stone steps at the church with the stained glass windows in unreasoning anger. It somehow was to blame. 'To cease upon the midnight with no pain.' I hadn't read Keats since my schooldays. I wasn't a reader of poetry, to say the least. But the line needled my mind.

And I could remember winter afternoons in the schoolroom and the English master at Pwllheli, a teacher who later became a famous novelist, reading Keats with the lightest of touches. The little room was too warm with the heat of the ancient iron stove in the corner. We were half-asleep, the old-fashioned lights were yellow, and the snowy afternoon was growing dark outside. Most of the time, during lessons like that, I would daydream happily, my thoughts far away on some playing field or other. The school had started to play rugby, and I'd taken to it at once. I was quick and

unwaith. Roeddwn i'n gyflym ac yn ysgafn ar fy nhraed, pêl oedd yn twnelu ataf trwy'r awyr oer, ei theimlo'n nythu'n ddiogel yn fy nwylo. Pleser ychwanegol wedyn mewn dysgu derbyn y bêl – a minnau eisoes yn symud yn gyflym – chwap! i'm dwylo ac i ffwrdd â mi. Ond rywsut, o bellteroedd yr isymwybod, daeth y llinell a'i holl gysylltiadau yn ôl i'r meddwl, a llais meddal yr athro'n darllen y llinellau eraill. *'Darkling I listen; and for many a time, I have heen half in love with easeful Death . . .'* Na! Ysgydwais fy hun. Edrychais yn ddig ar gwpl a edrychai'n od arnaf wrth basio'r car. Cychwynnais y peiriant gyda phlwc siarp ar y cychwynnydd. Blydi beirdd ! Doeddwn i ddim eisiau mynd fel yna. Ddim o gwbl. Edrychais yn gyhuddgar ar dŵr yr eglwys yn y drych wrth gychwyn. Fyddwn i ddim wedi cael y syniad o gwbl oni bai i mi ddod yma.

Synnais, wrth yrru adref yn y car, pa mor dawel fy meddwl yr oeddwn. Ond i mi beidio â gosod erchylltra geiriau o'i gwmpas o, fe allwn i dderbyn realaeth y peth ei hunan bellach. Cyn hir iawn fe fyddwn i farw. Roedd hynny'n sicr. Roeddwn i'n ei gredu. Ond os ydw i am wneud y gorau o'r gwaethaf – rwy'n ei gynllunio mor ddiwyd-gyfrinachol â chynghorwr yn mynd o gwmpas i hel pleidleisiau – yna beth am Sal a'r plant? Dydw i ddim eisiau eu gadael nhw yma yng Nghaerdydd. Rydw i am iddyn nhw fwrw gwreiddiau yn rhywle. Mae gwreiddiau'n bwysig. Does dim gwreiddiau i'w cael yng Nghaerdydd. Dyna un peth gweithredol y gallaf ei wneud. Ein dwyn yn nes at gymdeithas lle gall y plant ystyried eu bod nhw'n perthyn. Does neb yn perthyn i Gaerdydd. Ac fe fydd raid cwblhau'r peth cyn i mi fynd. Fe fydd raid symud yn gyflym. Erbyn cyrraedd adref roeddwn i wedi penderfynu bod yn weithredol iawn unwaith yn rhagor. Fedrwn i ddim mynd cyn symud y teulu. Roedd yn rhaid eu symud. Eu cael i rywle fyddai'n eu cynnal ar ôl i mi fynd. Dyna oedd y weithred. Dyna oedd y peth yr oedd yn rhaid ei gyflawni. Y broblem nesaf oedd ceisio perswadio Sal heb iddi sylweddoli paham roeddwn i'n ei pherswadio.

Ond cyn gynted ag y dechreuais siarad â hi gwelais pa mor gwbl amhosibl oedd y cynllun. Roeddem ni'n eistedd yn yr ystafell fyw yn hanner gwylio'r teledu. Roedd Menna allan yn rhywle a'r hogiau wedi mynd i'r gwely. Penderfynais fod yn rhaid dweud rhywbeth pendant, beth bynnag.

'Sal, mae'n rhaid i mi roi'r gorau i'r job.'

light on my feet, and I felt a pure pleasure at once in the business of catching a ball that tunnelled towards me in the cold air, feeling it nesting safely in my hands. It was an additional pleasure then to learn to take the ball while I was already moving fast across the ground – wham! into my hands and off I would go. But somehow, from the depths of my subconscious, this poem came back into my mind and the soft voice of the teacher reading it. 'Darkling I listen; and for many a time, I have been half in love with easeful Death . . .' No! I shook myself. I looked peevishly at a couple who stared at me as they passed my car. I started the engine with a violent yank at the starter. Bloody poets! I didn't want to go like that. Not at all. I looked accusingly at the church tower in the mirror as I started off. I wouldn't have had the idea at all if I hadn't come here.

I was surprised, as I drove home, how calm I was. As long as I didn't build the horror of words around it, I could accept the reality of the thing itself. Before long I would be dead. That was certain. I believed it. But if I was going to make the best of a bad job – I was actually planning the thing as craftily and confidentially as a councillor going around canvassing – then what about Sal and the children? I don't want to leave them here in Cardiff. I want them to take root somewhere. Roots are important. There aren't any roots in Cardiff. That's one positive action I can take. Take them nearer to a society where the kids reckon they can belong. Nobody belongs in Cardiff. And I'll have to get it over and done with before I go. I'll have to move fast. By the time I got home, I had decided that I would be extremely active once again. I couldn't go before I had moved the family. I had to move them. Get them somewhere where they would be cared for after I had gone. That was the action. That was the thing I would have to achieve. The next problem was to try and persuade Sal without her realising why I was trying to persuade her.

But as soon as I started talking to her I saw how impossible the plan was. We were sitting in the living room half watching the television. Menna was out somewhere and the boys had gone to bed. I decided that I would have to say something.

'Sal, I shall have to give up the job.'

'Wyt ti wedi dweud wrthyn nhw? Na fedri di ddim cario mlaen?'

'Na. Dim eto.'

'Hwyrach y gelli di gael rhyddhad am flwyddyn. Neu am faint bynnag y bydd hi'n angenrheidiol.'

Ceisiais edrych arni fel pe bawn i'n ystyried y syniad o ddifrif. Ei ystyried, a'i wrthod.

'Mae'n rhaid i mi roi'r gorau iddi, Sal. Does dim pwynt gohirio . . .'

'John, paid bod yn ddwl.'

Roedd hi'n dechrau twymo iddi, syniadau yn ei meddwl, creu castelli. Unwaith yr oedd hi wedi dechrau ar y trywydd yma, nid ar chwarae bach y gellid atal y llif.

'Mae pawb yn cael amser off pan fyddan nhw'n dost. Mae'n rhaid iddyn nhw roi amser i ti wella. Does dim achos i ti roi'r gorau i'r swydd . . .'

'Sal, mae hi'n swydd Addysg Gorfforol. Dydw i ddim . . . fydda i ddim yn ffit i wneud y gwaith angenrheidiol . . .'

'Na. Dwyt ti ddim nawr . . .'

'Fydda i ddim . . .'

Ceisiais hanner dweud rhywbeth, gollwng awgrym, o leiaf.

'Rydw i'n ddeugain oed, Sal. Fe fyddai hi wedi bod yn anodd, beth bynnag . . .'

'Na. Rwyt ti'n teimlo'n isel, dyna i gyd. Mae hi'n amser dwl i wneud penderfyniadau terfynol. Mi awn ni mas o Gaerdydd pan ddoi di o'r ysbyty. Mas i'r wlad i rywle. Rwy'n sicr y caf i dymor rhydd o'r ysgol. Gall Mam ddod i lawr i edrych ar ôl y plant. Fe gawn ni gyfle i fod 'da'n gilydd . . .'

'Sal, rydw i isio mynd o Gaerdydd rŵan.'

'Cyn mynd i'r ysbyty?'

'Rŵan.'

O, roeddwn fel hogyn bach bach yn gofyn am rywbeth dwl, disynnwyr. A hithau fel mam, yn ceisio bod yn amyneddgar, yn gwneud ymdrech fawr i weld pa fath o resymeg wallgof a allai achosi'r nonsens.

'A dod yn ôl pan fydd hi'n amser i ti fynd i'r ysbyty?'

Roeddwn i wedi cael y cyfle i ddweud wrthi. Ond fedrwn i ddim cymryd mantais ohono. Fedrwn i ddim. Roedd hi hefyd wedi rhoi cyfle gwahanol i mi. Cydiais yn hwnnw. Roedd o leiaf yn gyfle i gyflawni rhywbeth.

'Ia. Tyrd i ni fynd i ffwrdd rŵan. Cyn gynted ag y gallwn ni.'

'Have you told them? That you can't carry on?'

'No. Not yet.'

'Perhaps you can get a year's leave. Or however long you're going to need.'

I tried to look at her as though I was considering this seriously. Considering it and rejecting it.

'I've got to give it up, Sal. There's no point postponing . . .'

'John, don't be stupid.'

She was beginning to get involved, beginning to juggle ideas in her mind, build castles in the air. Once she had sailed off on this tack, it was no easy matter to divert her.

'Everybody gets time off when they're sick. They've got to give you time to get better. There's no reason for you to give up the job . . .'

'Sal, it's a Physical Education job. I'm not . . . I won't be fit to do the work . . .'

'No. You're not now . . .'

'I won't be . . .'

I tried to half say something, drop a hint anyhow.

'I'm forty, Sal. It was starting to get difficult anyhow . . .'

'Nonsense. You're just feeling low, that's all. It's a stupid time to make decisions. We'll get out of Cardiff when you come out of hospital. Out into the country somewhere. I'm sure I can get leave of absence for a term. Mam can come down to look after the children. We can be together . . .'

'Sal, I want to get out of Cardiff now.'

'Before going to hospital?'

'Now.'

Oh God, I was like a tiny little boy asking for something – constantly, unreasonably. And she like a mother, trying to be patient, making a great effort to see what kind of crazy logic lay behind it this time.

'And come back again when it's time for you to go into hospital?'

I'd had my opportunity to tell her. But I couldn't take advantage of it. I couldn't. She'd also given me a different opportunity. At least I grabbed that. It was a chance to achieve something.

'Yes. Let's go away now. As soon as we can.'

Roedd y teledu'n dal i rygnu ymlaen. Roedd yr ystafell braidd yn rhy gynnes, ac aeth Sal drosodd i droi lefel y gwres canolog i lawr. Daeth yn ôl i eistedd wrth f'ymyl.

'Mae'n rhaid i mi gael amser i drefnu pethau, cariad. Mae'n rhaid i tithau ddweud wrth y coleg. Mae'n rhaid i ni daro ar rywle i fyw. Mae'n rhaid i ni roi rhywfaint o rybudd i mewn. Ond OK. Cyn gynted ag y gallwn ni. Hwyrach y bydd e'n beth da. Fe elli di orffwys ac ennill nerth cyn mynd i'r ysbyty. Rwy'n siŵr y bydd hynny'n beth da.'

Gwenais yn werthfawrogol a rhoddais fraich yn gyfeillgar amdani. Roeddwn i'n dysgu. Roeddwn i hyd yn oed yn dechrau mwynhau'r gêm. Pa mor dawel a hyderus a digyffro y gallwn i ymddangos? Credais fy mod yn ennill, beth bynnag.

Doedd y trefniadau ymarferol ddim yn anodd. Roedd awdurdodau'r coleg wedi synnu, wrth gwrs. Ond doedd f'achos i ddim yn unigryw. Dim ond i mi. Roedd y prifathro wedi delio o'r blaen ag achosion tebyg, lle'r oedd gwaeledd difrifol annisgwyl wedi dinistrio gyrfaon. Roedd o'n garedig, yn llawn parodrwydd i helpu, yn dawel effeithiol. Doedd dim cwestiwn o roi i fyny'r swydd, wrth gwrs. Sut bynnag, gyda gwên fach hanner-cyfrinachol, roedd hi'n amser anaddas i lenwi swyddi gwag. Fe fyddai'n rhaid i weddill yr adran lenwi'r bylchau. Roedd o'n sicr y bydden nhw'n llwyddo i wneud hynny.

'Rwy'n sicr,' meddai, 'y cawn eich gweld yn ôl yn holliach cyn hir. Mae meddygaeth wedi gwella cymaint yn ystod y blynyddoedd diwethaf.'

Ysgydwais law ag o'n ofalus a cherddais allan o'r coleg yn ddigon dideimlad.

Roedd mam Sal yn fodlon iawn ailgydio yn y busnes o lywodraethu teulu, dros dro. Ac fe fuom ni'n ffodus y tu hwnt i bob disgwyliad cyn belled ag yr oedd y tŷ yn y cwestiwn. Roedd Dafydd wedi galw un noson, yn fuan ar ôl i'r newyddion fynd ar eu taith o gwmpas cylchdaith-gloncian Cymry Caerdydd. Gan fod straeon bob amser yn chwyddo pethau, roedd y gwirionedd, mewn ffordd gwmpasog, wedi suddo i ymwybyddiaeth y rhan fwyaf. Roedd yn hawdd iawn gweld y neges yn eu llygaid pan ddeuent i alw a chydymdeimlo. Ac fe ddaethant yn lluoedd.

O'r gorau. Ddylwn i ddim bod yn sarrug ynglŷn â chymhellion pobl. Ond mae'n rhaid dweud fod rhai o gyfeillion Sal, rhai o ferched siarp y cylchoedd trafod a'r grwpiau cymdeithasol, wedi

The television was still droning on. The room was rather too warm, and Sal went over to adjust the central heating. She came back to sit by my side.

'Look, love, we are going to need some time to make arrangements. You're going to have to tell the college. We'll have to find somewhere to live. I shall have to give some kind of notice. But OK. As soon as we can. Perhaps it'll be a good thing. You can rest and gain strength before going into hospital. I'm sure that will be a good thing.'

I smiled appreciatively and placed a friendly arm around her shoulders. I was learning. I was even beginning to enjoy the game. Just how calm and confident and unfussed could I contrive to appear? I reckoned I was winning anyhow.

The practical arrangements didn't turn out to be too difficult. The college authorities were suitably shocked and surprised, of course. But my case wasn't unique. Only to me. The principal had had to deal with similar cases before, where unexpected serious illness had destroyed careers. He was kind, willing to help, quietly efficient. There was no question of my resigning, he said. Anyhow, he went on, with a confidential little smile, it wasn't a good time to fill posts that became vacant. The other members of department would have to do my work. He was certain they could manage.

'I'm sure,' he said finally, getting up from his desk, 'that we will have you back with us again in no time. There's a tremendous amount these new treatments can achieve.'

I shook hands with him carefully and walked out of the college calmly enough.

Sal's mother was happy to have the opportunity of running a family once again. And we were incredibly lucky in the matter of finding somewhere to live. Dafydd had called one night, soon after the news had gone the rounds of the Cardiff Welsh gossip circuit. As rumours always do exaggerate things, the actual truth, by an ironic process whereby my half-lies were distorted, had permeated most people's consciousness. It was easy enough to see that message in their eyes when they called round to inspect and sympathise. And they came in droves.

Oh, I know. I shouldn't be cynical about people's motives. But I'm going to point out, nevertheless, that some of Sal's friends, some of those sharp, pointed women who ran the discussion groups

talu mwy o sylw i'm bodolaeth i mewn wythnos nag a wnaethant mewn deunaw mlynedd cyn hynny. Ac fe welech chi'r peth yn eu llygaid. 'Mae John Bowen yn marw o'r cancr.' Chwilfrydedd. Piti. Rhywbeth diddorol, ofnadwy, dychrynllyd, i dorri ar undonedd bywyd. Wel, roedd marwolaeth yn sicr yn gwneud hynny. Dwn i ddim beth roedden nhw'n ei ddweud wrth Sal, ond roedd rhyw dawelwch yn tarddu o barchedig ofn yn llenwi'r tŷ bob tro y deuai un ohonyn nhw i'm gweld. Am y gweddill o'r amser, roedd mwy o sŵn a miri nag arfer. Rydw i'n credu fod y plant yn gwneud ati i ddangos fod pethau'n normal, nad oedd gwaeledd ddim am effeithio ar ein teulu ni. Roedd hi'n un ffordd o ddweud fod y teulu'n anorchfygol. Roedd y tŷ'n berwi o chwerthin a gemau a thriciau. Wythnos go flinedig oedd hi, mae'n rhaid cyfaddef, ond wythnos pryd yr oeddwn i ar uchelfannau balchder a llawenydd ar yr adegau hynny pryd yr oeddem ni'n cael llonydd i fod yn uned deuluol ar ein pennau'n hunain. '*Do not go gentle into that good night.*'

Roedd Dafydd yn un o'r ymwelwyr y gallwn eu goddef. Wel, wrth gwrs, fe fyddwn wedi disgwyl hynny. Fe ddeuai i mewn yn ei ffordd dawel arferol ac eistedd yn ei gornel i edrych ar y teledu heb unrhyw gyfarchiad os byddai'r teledu ymlaen. Hefo Dafydd doedd dim rhaid mynd trwy'r mosiwns – 'Helô! Sut wyt ti? Noson braf . . .'

Fe ddaeth i mewn un noson a dechrau edrych yn eiddgar ar y *Goodies*, un o'i hoff raglenni, a chwerthin yn aflywodraethus, blentynnaidd yn aml. Yna trodd ataf.

'Clywed dy fod ti a Sal yn chwilio am le yn y wlad.'

'Ydan. Dydw i ddim yn cofio i mi sôn am y peth . . .'

'Na. Sal yn dweud. I gryfhau ar gyfer y driniaeth, medde hi . . .' Edrychodd ym myw fy llygaid. Yn dawel. Roedd o'n gwybod. Roedd pawb ond Sal yn gwybod. Edrychais yn ôl. Wnaeth Dafydd ddim troi i ffwrdd.

'Dydy Sal ddim yn gwbod. Mae'n well iddi beidio . . .'

'Ti ŵyr am hynny. Pam rwyt ti isie mynd i'r wlad?'

'Mae'n anodd dweud, Dai; wedi blino, am wn i . . .'

'Mae bwthyn 'da teulu Mam yn Sir Feirionnydd. Heb fod ymhell iawn o Ddolgellau. Ych chi am 'i fenthyg e?'

Fel yna. Yn hollol syml. Ac fe ddaethom ni yma, ar ôl hanner tymor Sal. Fe gawsom ni drip swnllyd, teuluol i'r theatr, ac i swper wedyn, cyn i ni fynd. Menna a phawb. Pan gychwynsom ni yn y car

115

and social service clubs, paid more attention to my existence in one week than they had previously done in eighteen years. And you could see it ticking away behind their eyes. 'John Bowen is dying of cancer.' Curiosity. Pity. It was an interesting, awe-inspiring, fearful fact breaking into the monotony of life. Well, death certainly did that. I don't know what they said to Sal, but a kind of funeral parlour hush descended on the house every time one of them called. The rest of the time, there was even more noise than usual. I think the kids were going out of their way to show that everything was normal, that the shadow of sickness wasn't going to get us down. It was one way of saying that we were – us, the family – impregnable. The place sometimes seemed to be bubbling over with laughter and practical jokes. It was a pretty exhausting business, I must admit, but it was a week during which I felt full of a mad happiness, hedged around by their concerted challenge to fate, during those periods when we were left to ourselves. 'Do not go gentle into that good night.'

Dafydd was one of the few visitors I could tolerate. Well, I could have expected that. He would come in in his usual shambling way, go and sit in his usual chair and start watching the television or reading the sports pages without giving me anything more than a passing greeting. You didn't have to go through the motions with him anyhow.

He came in one night when *The Goodies* were on, his favourite programme, and sat there intoxicated, laughing ungovernably from time to time, wiping away tears of sheer childlike delight with a huge, comprehensive arm. Then suddenly he turned to face me.

'Hear you and Sal are looking for somewhere in the country.'

'Yes . . . I don't remember saying anything about it . . .'

'No. Sal said. To get your strength back before the op, she said.'

He looked into my eyes. Quietly. He knew. Sal was the only one who didn't know. I looked back at him. Dafydd didn't turn away.

'Sal doesn't know,' I said, 'I think it's best . . .'

'That's your business, boy. What do you want to go to the country for?'

'I don't know, Dai; just tired, I suppose . . .'

'Mam's people in Meirionnydd have got a little cottage. Not far from Dolgellau. Do you want to borrow it?'

Just like that. Simple as that. And so we came here, after Sal's half term. We had a rumbustious trip to the theatre, and to supper

y bore wedyn, a throi allan trwy'r giât, fe gefais gipolwg ar Llŷr trwy'r drych yn sefyll ar ei ben ei hun ar stepan y drws, ei ddwylo'n llipa wrth ei ochr, a dagrau yn ei lygaid. Dyna oedd y peth gwaetha o lawer. Ac rwy'n dal i weld y darlun yn fy meddwl, yn arbennig yn ystod oriau mân y bore.

Mawrth 17

Rydw i'n blino'n gyflym iawn y dyddiau hyn, ond rydw i'n gallu cerdded cyn belled â phen yr allt hefo'r ci. Oherwydd mae'r ci'n fy nhynnu i fyny. A gallaf ddod yn ôl i lawr wrth fy mhwysau wedyn. Ac fe allaf gerdded yn ôl a blaen ar hyd llwybr yr afon, rhyw hanner milltir o ffordd. Mae'r naill dro a'r llall yn mynd â mi trwy fydoedd llawn iawn. Yn y nos, gan amlaf, y byddaf yn mentro i ben yr allt, heibio i'r tai gweigion, heibio i fferm Bryn Meillion, a'r hen Jac yn mynd fel tanc o'm blaen.

Rydw i newydd fod allan hefo fo heno. Mae Jac y rhan fwyaf o'r amser yn cael bod yn rhydd i redeg o gwmpas yma yn y pentref. Mae'n brofiad hollol newydd iddo. Mae o, beth bynnag, yn gyfan gwbl ar ei ennill wedi i ni symud. Ond am y misoedd yma, yn nhymor yr ŵyn, mae o'n cael ei gau i mewn. Ac felly mae'n defnyddio ei holl egni sbâr i halio'i feistr di-lun i ben yr allt bob gyda'r nos. Erbyn hyn mae o wedi darganfod ei hoff fannau ar y daith ac mae'n aros yn rheolaidd iawn wrth ddwy giât, yn arbennig i wylio am gwningod, a'i ddwy glust yn hollol syth, ei goesau'n dynn y tu ôl iddo, a'i dafod yn gollwng glafoerion yn frwdfrydig ar y gwellt o'i flaen. Mae'n canolbwyntio'n llwyr ar ei un pwrpas syml. Mae'n fodel o ganolbwyntio, fel plentyn bach yn sylwi ar ddŵr yn neidio o ffownten neu ar ystumiau rhyfedd oedolion – 'Yli, Mam, mae'r dyn yna yn gweithio hefo batri – Mae gynno fo weiran yn 'i glust.'

Wrth gerdded i fyny'r allt yn uwch ac yn uwch mae'r pentref yn agor allan is-law, goleuadau yn y ffermydd i gyd ar hyd ac ar led y bryniau, a'r twll du, marw lle roedd y pentref byw un tro yn sefyll yn solet yn y canol. A'n tŷ ninnau'n fflachio bywyd o bob ffenest, diolch i'r nefoedd. Ac fel y mae'r ddaear yn agor is-law, mae'r awyr yn agor uwchben. Bob nos, wrth gerdded i fyny'r allt, yn syth i'r

afterwards, all of us, Menna and all, before we came. But when we started off in the car the next morning, and turned out through the gate, I caught a glimpse of Llŷr in the mirror. He was standing alone on the doorstep, his hand limp by his side, tears in his eyes. That was the worst moment. And I can still see that picture in my mind, especially in the early hours. That picture above all.

March 17
I get very tired very quickly these days, but I can walk as far as the top of the rise with my dog. Because the dog drags me up. And then I can come down at my leisure. And I can walk back and forth along the riverbank, a distance of about half a mile. Both these walks take me through distinct, teeming worlds. It's at night, usually, that I venture up the hill, past the empty houses, past Bryn Meillion farm, with old Jack pulling and panting and snuffling ahead of me.

I've just been out with him this evening. Jack, most of the time, is left to range freely around the village. It's an entirely new experience for him. The move has turned out well for him anyhow. During these weeks, though, when the young lambs are out all over the place, I keep him fastened. So then he used all his surplus energy hauling his decrepit master up to the top of the rise every night. By now, he has discovered all the most interesting places, and he stops regularly by two particular gates, surveying the scene for rabbits, two great ears half-cocked, his back legs taut and straight, and his tongue dribbling enthusiastically onto the grass. He concentrates utterly on this one simple purpose. He's a model of concentration, like a small child looking at water leaping and falling in a fountain, or at the peculiar behaviour of adults – 'Look, Mam, that man works with a battery – he's got a wire going into his ear.'

As I walk higher and higher up the hill, the village opens out below me, pinpoints of light in all the farmhouses out and across the hillsides, and the dark black hole where a living village once stood staring blankly in the middle. And our house flashing messages of life, thank God. And as the earth opens out beneath, the sky opens out above. Every night, as I walk up the hill, heading due north, the stars are miraculous. Immediately in front of me hangs the Plough, Ursa Major, the old tipsy saucepan we watched as children when we ran home along other mountain paths after

gogledd, mae'r sêr yn rhyfeddod. Yn union syth o'm blaen mae'r Aradr, Ursa Major, hen sosban fawr yn yr awyr pan oeddem ni'n blant. Ac felly roedd hi heno, yn disgyn yn ôl ar ei chefn. A'r Llwybr Llaethog i'r chwith, ar Ursa Minor a Deneb, un o'r sêr mwyaf yn awyr y Gogledd.

Dydw i ddim erioed wedi meddwl am y sêr. Dim ond edrych arnyn nhw'n ddwl-ramantaidd bob yn awr ac yn y man a derbyn geiriau'r chwedlau amdanyn nhw. Ond ar y troeon hyn hefo Jac rydw i wedi dechrau meddwl. Ac wedi dechrau darllen. Darllen Hoyle a Lovell ac edrych ac edrych ac edrych ar ryfeddodau'r awyr. Rwy'n cyrraedd pen yr allt ac yn troi tua'r De. Ac yna o'm blaen heno roedd Orïon a Sirius yn ddychrynllyd o ddisglair pan gerddais i fyny, a'r hen hen seren Aldebaran yn edrych yn agos iawn. Ac roedd Jupiter yn yr awyr heno yn fawr a bygythiol, a Fenus ymron wedi gorffen ei thaith am rai misoedd. Mae Sirius, pe baem ni'n ddigon agos ati hi i deimlo'r ffaith, 23 gwaith cyn boethed â'r haul, ond mae ei golau hi, sy'n cyrraedd yma heno ac sy'n llachar uwchben y gelltydd, wedi cychwyn o'i haul tanbaid hi wyth a hanner o flynyddoedd yn ôl. Ac mae hi'n seren agos.

Mae modd gweld tair mil o sêr yn yr awyr ar noson glir, meddai llyfr Llŷr, ond mae can miliwn o sêr, mewn gwirionedd, yn ein galaeth ni. A'r tu hwnt y mae galaethau eraill yn dal i symud allan ac allan ac allan yn dragwyddol i wacter y gofod. Mae meddwl dyn yn y diwedd yn methu'n llwyr, wrth gwrs, ar ei daith o'n bychander corfforol ni i anferthwch y bydysawd. Mae e'n mynd ar goll, fel y byddai teithiwr yn y gofod yn mynd ar goll am byth, yn troelli'n dawel mewn orbit tragwyddol, fel pe bai'n disgyn o garchar daearol ei long-ofod.

Dydy Fred Hoyle ddim nes at y gwir na minnau, yn nhermau'r greadigaeth gyflawn. Mae honno'n agor allan ymhell y tu hwnt i'r ffrae rhyngddo fo a phobl Caergrawnt am natur y bydysawd. Ac eto iddo fo, fel i mi, chwe throedfedd o gnawd ac esgyrn meidrol a therfynau gweld a chlywed a chyffwrdd y bwndel hwnnw o bydredd ydy terfynau ei fyd. Dydan ni ddim wedi'n gwneud i fyw yn y bydysawd. Rydan ni wedi'n gwneud, mae hynny'n rhy amlwg, i bydru ym mhridd y ddaear, ac i sefyll yma ar ben yr allt a syllu'n fud ar anhygoeledd y cyfan.

playing football in the dark. I can feel the brush of grass against my cheek now, and the shadow of the great hedges all around me as I pelted home in those distant days. And that's how the Plough was tonight, leaning over drunkenly. And the Milky Way climbed the sky to the left of it, and Ursa Minor, and Deneb, flashing as regularly as a lighthouse, the brightest thing in the northern sky.

I've never really thought about the stars. Just looked romantically at them when I was in the mood, and learnt primary school legends from the kids when they were small. But on these walks with Jack, I've started to think. And started to read. I've been reading Hoyle and Lovell and looking and looking and looking at the incomprehensible sky. I reach the top of the rise, and then I turn and look south. There ahead of me tonight was Orion, lurching sideways, and Sirius, dazzlingly bright on its shoulder; and the old old star, Aldebaran, looked painfully near. And Jupiter was in the sky as well, huge and threatening, and Venus, almost out of sight, white and delicate. Sirius, if we were close enough to feel it, is 23 times as hot as the sun, so they say, but her light, which flashes out tonight over these hillsides, started off from that burning mass eight and a half years ago. And Sirius is a nearby star.

You can see three thousand stars in the sky on a clear night, Llŷr's book says, but there are a hundred billion stars, in fact, in our galaxy. And beyond them are other galaxies, still moving out and out and out eternally into the void. Man's mind eventually gives out, of course, somewhere along that path from our tiny physical inconsequence to the immensity of the universe. 'Her cabin'd, ample spirit, fluttered and failed for breath. Tonight it doth inherit the vasty hall of death.' Is that where I shall go? Out there? Out somehow, out, out, out for ever? Your mind just gets lost, like a space traveller would be lost for ever out there, going round and round in an eternal orbit, if he fell free from the prison of his capsule.

Fred Hoyle is no nearer the truth than I am, in terms of the whole of creation. That just opens out way beyond the quarrel between him and those Cambridge people about what the universe is like. Out and out and out. And yet, even for him, just like for me, six foot of mortal flesh and bone, and the tiny limits of sight and sound and touch that imprison that silly bundle of putrefaction – that's all our world is. We aren't built to live in the universe. We are built, that's all too obvious, to rot in the earth, and to stand here briefly on top of a rise and stare at the incredibility of it all.

120

Trwy'n telesgop cardbord ni, ar ôl dod i lawr i'r bwthyn yn ôl, llwyddais i leoli seren y gwyddwn oddi wrth y llyfrau ei bod bedwar cant o flynyddoedd goleuni oddi wrthym. Eisteddais ar hen fainc bren yn yr ardd ymysg y riwbob a'r tyfiant cynnar a syllu'n hir arni. Roedd y golau melyn a dreiddiai i'm llygaid trwy'r lens yn bedair canrif oed. Fe gychwynnodd ei daith o ffwrnais anferth y seren fel yr oedd y pryd hwnnw cyn i Harri Richmond lanio yn Sir Benfro. Ond y seren fel yr oedd hi'r pryd hwnnw yr oeddwn i'n ei gweld. Does gen i ddim ffordd o wybod beth ydy natur y seren hon heno. Dim cyswllt. Dim cyfathrach â'i phresennol hi o gwbl.

Rydym ni'n sefyll ar yr ynys hon o ddaear, yn gwbl unig, i stwyrian ac ymbwysigo am funud ac wedyn mynd yn ôl i'r pridd. Cau'r telesgop a mynd i'r tŷ. Blydi athroniaeth Ifans y Tryc ydy peth fel 'na, meddwn wrthyf fy hun. Wyt ti'n meddwl nad oes neb arall wedi meddwl fel yna o'r blaen? Ac eto roedd golau'r seren, yn chwyddo ac yn dychlamu trwy wydr y telesgop, a'i chyfrinach a'i holl egni dychrynllyd yn bwrw allan yn wallgof ddigynnyrch ar draws y gofod, yn dal i gyniwair trwy fy meddwl.

Mae hi'n nos Iau ac mae Sal wedi mynd allan hefo'i ffrindiau o'r Tai Gwynion i ddosbarth nos. Mae hi'n ddychrynllyd o dawel yng ngwacter y pentref, ond yn y tywyllwch rywsut mae hen ysbrydion yn cerdded, olion hen fyw yn yr holl dai o'n cwmpas. Dydy'r lle ddim yn farw. Mae pob pentref fel hwn yn llawn o gyfoeth, yn ei bridd a'i gerrig, ei goed a'i wrychoedd. Wrth ddarllen yn ôl dros y dyddiadur yma, rwy'n gweld fod symud i'r bwthyn i fod yn rhan o gynllun pellach, mwy parhaol cyn belled ag yr oedd Sal a'r plant yn y cwestiwn. Mae hynny'n ymddangos yn ffôl erbyn hyn. Yng Nghaerdydd y mae eu gwreiddiau nhw bellach, nid mewn lle fel hwn. Fi, yn fy ngwendid, sy'n dyheu am wreiddiau, am lonyddwch. Fyddai Siôn a Menna, beth bynnag am Llŷr, ddim yn elwa o gwbl pe baen nhw'n gadael eu prysurdeb trefol. Ac am y syniad arall, dydw i ddim yn siŵr am hwnnw chwaith erbyn hyn. Hwyrach nad oedd o ddim mor ddwl â hynny.

Through our cardboard telescope, after I had come back to the cottage, I succeeded in locating a star I knew from the books to be four hundred light years away. I sat on an old wooden bench in the garden among the rhubarb and the young growth, and stared at it for a long time. The yellow light that pierced the lens and formed an image on my brain was four hundred years old. It began its journey from the great furnace that this star was at that time before Harry Richmond landed on the shores of Pembrokeshire. And it was the star as it was then that I was seeing. I've no way at all of knowing what is the state of this star now, tonight, none at all. No contact with the present of it at all.

We stand on this island in the dark of space, completely alone, but completely aware, and then the light goes out. And then what? Surely, it's ludicrous. The comparative size of it all. Of us and then of all the rest of it? Why has it been made like that? I closed the telescope, and plodded bad-temperedly into the house. Do you think you are the first person who has ever thought like that? I asked myself peevishly. People have asked things like that since the world began. There just isn't any answer, that's all. Stop trying to be a philosopher. And yet the light of that star, flashing and pulsating through the tiny lens of the telescope, all the life and all the boundless energy of it, thrusting out uselessly, meaninglessly across the vast spaces, still rattled around in my mind like a pea in an empty drum.

It's Thursday night, and Sal has gone with her friends from Tai Gwynion to an evening class. It's horribly quiet in the empty village, but somehow, through the dark, the place is alive with spirits from the past, with the traces of old experience in all the empty houses around me. The place isn't dead. Every village like this one is full of traces, in its soil and its stones, its trees and hedges. Reading back over my diary, I can see that moving here was part of a wider plan, a more permanent one as far as Sal and the children are concerned. But that just seems stupid now. Their roots are in Cardiff, not in some abandoned village. It's me, in my weakness, who longs for roots, for peace. Siôn and Menna, whatever would be true of Llŷr, could certainly gain nothing if they left their city hustle. As for the other idea, the sudden urge at Llandaff, I'm not so sure by now that that was as stupid as I thought.

Mawrth 21

Pan ddaethom ni yma gyntaf roedd marweidd-dra'r pentref yn brofiad diarth, ac yn brofiad anodd i mi ddygymod ag o. Mae'r holl ddifrod cymdeithasol a grëwyd mewn pentrefi fel hyn yn dal i losgi ynof yn boen mud, disymud. Ond erbyn hyn rwy'n dechrau addasu i'r tawelwch. Mae'r bwthyn rydym ni'n byw ynddo yn sefyll mewn stryd o dai cerrig, solet, llwydion. Un o'r strydoedd sy'n tyfu allan o'r graig ym mhentrefi Meirionnydd. O boptu i ni mae tai gwag. Tai haf ym meddiant Saeson o Lerpwl. Dydym ni ddim wedi gweld neb yn dod ar gyfyl y tŷ sydd ar y chwith i ni. Ond mae teulu ifanc, digon clên, chwarae teg iddyn nhw, yn dod draw bob penwythnos i atgyweirio'r tŷ sydd ar y dde.

Yn yr holl bentref, lle roedd unwaith ysgol a swyddfa bost a siop-bopeth a phrysurdeb plant a phobl yn mynd o gwmpas eu gwaith, mae un ar hugain o dai haf, a dim ond dwsin o dai annedd sy'n gartrefi naturiol gydol y flwyddyn. Mae'r bws Crosville wedi peidio â galw yma. Ac mae bywyd ymarferol wedi mynd yn broblem fawr i'r hen bobl sydd wedi eu gadael ar ôl. Pobl sydd wedi byw eu bywyd yn y pentref, y rhan fwyaf ohonyn nhw, wedi gweithio eu breichiau i'r bôn yn enw rhaid ac yn enw dyfalbarhad. A bellach, dyma nhw. A hwythau'n haeddu rhyw fath o seibiant o'r diwedd, mae eu bywyd yn fwy anodd nag erioed. Sut mae mynd i siopa? Sut mae casglu pensiwn? Maen nhw i gyd, wrth gwrs, yn ddychrynllyd o annibynnol, ond, wrth lwc, mae pâr ifanc blaengar sy'n byw yn y fferm agosaf, Bryn Meillion, wedi llwyddo i drefnu gwasanaeth tacsi deirgwaith yr wythnos o'r pentref i Ddolgellau ac yn ôl, rhyngddyn nhw a'u ffrindiau. Mae'r hen bobl yn cael talu am y petrol, felly maen nhw'n fodlon.

Mae Sal eisoes wedi ymuno yn y gwasanaeth yma. Iddi hi mae'r holl beth yn newydd. Ac yn warthus. Dydy hi ddim wedi meddwl rhyw lawer iawn erioed am leoedd fel hyn. Doedd hi ddim, i fod yn deg, yn gwybod fawr amdanyn nhw. Ond bellach mae hi'n bytheirio. Yn bytheirio'n anymarferol ac, mae'n debyg, yn anneallus am farwolaeth y pentrefi gwledig. Mae hi allan yn aml yn y dref yn trin a thrafod dull a modd o wella pethau. Tra byddaf innau'n cerdded ychydig. Ac yn darllen.

Pan ddaethom ni yma gyntaf, ar wahân i'r tawelwch, fe fûm i ymron iawn â dianc yn ôl i Gaerdydd. A hynny o hiraeth am y plant. Doeddwn i ddim wedi sylweddoli faint yr oeddwn i'n

March 21

When we came here first, the stillness and silence of the village were a new experience and a difficult one to adjust to. The whole social carnage that has been wreaked on living, vibrant communities in villages like this still burns within me, a mute, insistent ache. But, by now, I'm beginning to adapt to the stillness. The cottage we occupy stands in a terrace of solid, grey houses. One of those stone streets that grow out of the rock in many villages in Meirionnydd. On either side of us are empty houses. Second homes owned by English people from Liverpool. We haven't seen anyone at all in the house on our left. But a young family, pleasant enough in all conscience, come over every weekend to potter about the house to our right.

In the whole village, where there was once a school and a post-office and a village shop and the bustle of adults and children going about their business, there are twenty-one weekend cottages, and only twelve houses which are permanent homes. The Crosville bus service had decided to bypass the village now. And the basic problems of practical living have become critical for the elderly who have been left behind. People who have lived their lives out in this village, most of them, who have worked their hands to the bone in the name of necessity and sheer dogged endurance. And now, here they are. Now that they deserve some kind of oasis of rest and contemplation, their lives have become more difficult than ever. How are they to do their essential shopping? How are they to get their weekly pension? They are all, of course, intensely independent, but, fortunately, an active young couple who live on a nearby farm, Bryn Meillion, have succeeded in organising a taxi service three times a week into Dolgellau and back, run by them and their friends on other farms. Those who use it pay for the petrol, so pride is satisfied.

Sal has already joined this syndicate. For her, the whole thing is new. And disgraceful. She has never really thought about places like this. She didn't, to be fair, know very much about them. But now she is tamping. Playing merry hell impractically, and probably unintelligently, about the death of country villages. She is often down in Dolgellau discussing ways and means of improving things with other indignant people. While I try to walk a little. And read.

When we came here first, quite apart from the silence, I very nearly turned tail and ran back to Cardiff for another reason. And

dibynnu ar fframwaith y teulu. Roedd eu sŵn, yn un peth, wedi mynd yn rhan annatod o'm bywyd. A'u hadroddiadau, pa mor ffwrbwt bynnag, am ddigwyddiadau'r dydd. Menna'n hedfan i mewn gyda'r bachgen oedd yn dechrau tyfu'n rhyw lun o gariad. Y ddau'n stwyrian yn ffyslyd yn y gegin gyda diodydd poeth a bisgedi o'r delicatessen. Ac yna'r creadur yn cael ei halio i mewn ataf i i fod yn gymdeithasol hefo'r hen ddyn. Trafod rygbi i ddechrau, wrth gwrs. Ond mae'r hogiau yma i gyd yn garedig ddychrynllyd. Ac yn llawn brwdfrydedd gwyllt. A chasinebau gwyllt. Yn llawn egni. Roedd y sgwrs arferol bellach, ers amser, wedi troi oddi wrth rygbi at wleidyddiaeth. Ond nid gwleidyddiaeth Cymru. Gwleidyddiaeth lliw. Gwleidyddiaeth cyfiawnder. Roedd Menna'n groch dros bob delfrydiaeth. Roedd yntau'n llai felly o lawer, er yn gyndyn i dynnu'n groes. Chwifiai ei wallt hir, syth fel llenni yn y gwynt o gwmpas ei wyneb gwelw unwaith y dechreuai danio iddi, ac fe ddywedai'n hollol ddifrifol fod llawer yn yr hyn a ddywedai Enoch Powell. Gyrrai hyn Menna ymron yn gandryll. Fe fyddai'r ddau'n anghofio popeth amdanaf i ac yn siarad yn angerddol gas â'i gilydd, yn dweud pethau noeth, caled y naill am y llall, cyn codi o'r diwedd a mynd allan i'r tywyllwch i garu.

Gwelais fwy ar Siôn hefyd. Roedd yntau'n poeni am ferched, ond y merched oedd ar ei feddwl oedd ei athrawesau, un ohonyn nhw'n arbennig.

'Dad, dyw hi ddim yn deg. Mae hi'n pigo ar y bechgyn ar hyd yr amser.' *Siôn Bowen, that is not funny; you can stay behind and tidy my storeroom for me after school.*' Bob diwrnod. Rhywbeth neu'i gilydd. Beth ydw i'n ei wneud o'i le? Dim byd. Dim byd, Dad . . . Ydy merched i gyd fel yna gyda bechgyn?

Ac am Llŷr, roedd Llŷr yn mynd allan o'i ffordd i drafod materion ysgafn, gwamal hefo mi. Ac yn dweud mwy o jôcs nag erioed. O fore gwyn tan nos. Yn fy ngwely i ben bore. Yn ei wely fo'r peth diwethaf cyn cysgu. Roedden nhw'n brawf fod bywyd yn parhau. Bywyd yr oeddwn i wedi ei greu. Bywyd llawn, amrywiol, cyfoethog. .

Ar y dechrau roeddwn yn eu colli'n ofnadwy. Er pan ddechreuodd y salwch gydio, roeddwn i wedi arfer cael fy neffro yn y bore gan Llŷr, a chlywed wedyn y miri paratoi ar gyfer yr ysgol. Ei glywed, a dysgu lleoli pob sŵn gwahanol, hyd nes y disgynnodd distawrwydd llwyr ar ôl i bawb fynd. Dyna wedyn

125

that was because I longed for the children's presence about the place. I just hadn't realised how much I depended on it, how much, unconscious though it was, the sight and sound of them was central to my life. And their reports, however brusque and truncated, about the day's events. Menna dashing in with her by now fairly regular boyfriend in tow. Both of them fussing away in the kitchen with hot drinks and fancy biscuits. And then the poor fellow being dragged in to be polite to the old man. We talked rugby then, of course. And all these great awkward lads are incredibly likeable, I must say. And full of wild enthusiasm. And wild hatreds. Full of energy. The usual conversation would move from rugby to politics. But not Welsh politics. Race politics. The politics of social justice. Menna was raucous in defence of all idealism. This latest lad was much less so, although he didn't want to offend her. His long, straight hair flew around his pale face once he began to get enthusiastic, and he would say quite seriously that there was much in what Enoch Powell said. This would drive Menna berserk. The two of them would forget about me entirely and shout at one other with an intense and vicious hatred, before going out into the dark to kiss each other goodnight.

I saw more of Siôn too. He was concerned about the other sex as well, but the women on his mind were female teachers, one of them in particular.

'Dad, it's just not fair, she picks on the boys all the time. The girls just never do anything wrong. "Siôn Bowen, that is not funny; you can stay behind and tidy my storeroom for me after school." Every flipping day. Something or other. What do I do wrong? Nothing, Dad, honest. Just nothing at all. Are they always like that? Are women always like that with boys?'

And as for Llŷr, Llŷr went out of his way to discuss frivolities with me. And to tell me more jokes than ever. Morning, noon and night. In my bed in the morning. In his bed last thing at night. They were all proof that life existed. Life that I had created. Full, varied, tempestuous life.

So, at the beginning, I just didn't see how I was going to live without them. Ever since the cancer started to weaken me, I used to be woken up every morning with a cup of tea brought in by Llŷr. Then I would lie and listen to all the morning sounds of everyone hectically preparing for school. I would lie and learn to place each

126

oedd yr amser i minnau godi'n raddol, a llusgo fel hen ŵr o gwmpas y lle hyd nes yr oedd y pils wedi dechrau lleddfu'r boen foreol a chryfhau'r gwendid. Roeddwn yn hiraethu am hyn i gyd. Ei golli a dyheu amdano bob bore. Dyheu hyd at ddagrau am gael gweld eu hwynebau. Ond roedd Sal o gwmpas. Ac mae dyn yn gallu cynefino ag unrhyw beth tra pery bywyd. Gorfodais fy hun i wynebu fy hunan. Gwnes hyn yn llythrennol.

Unwaith yr oedd Sal wedi mynd i lawr i baratoi brecwast heddiw, codais a syllu yn y drych. Syllu ar linellau'r wyneb gwelw a dweud, 'Reit; rwyt ti'n fyw. Rwyt ti'n medru symud. Dyna'r gwirionedd am heddiw. Dos i siafio a molchi.' A'm gorfodi fy hunan i gychwyn ar fanion y diwrnod. Fe fyddai'n rhaid gwneud hynny ar unwaith neu fe fyddwn i wedi cymryd y boen yn esgus i aros yn fy ngwely. Unwaith ar fy nhraed roedd wynebu'r diwrnod yn bosibl. Roedd hi'n fwy anodd wynebu fy meddyliau.

Ond roedd yn rhaid gwneud hyn hefyd. Er bod Sal am fod hefo mi lawer o'r amser, ac er iddi fynd â mi o gwmpas yn y car i ymweld â chyfeillion, i fwynhau'r wlad, fe'i darbwyllais fod angen mynd i lawr i Gaerdydd bob hyn a hyn i gadw cyswllt â'r plant. Fe fyddai'r daith bellach wedi bod yn ormod i mi ac fe arhoswn i gartref. I geisio byw hefo mi fy hun. Ac fe roddodd hyn gyfle i mi wneud dau beth. Darllen, a dod i adnabod Owen Parry, Tyn y Gornel.

Roeddwn wedi dechrau darllen hefo Llŷr, Llŷr a'i sêr. Lledaenodd y diddordeb o'r sêr i ffiseg seryddiaeth. Ond o hynny i ddiwinyddiaeth. Dydw i ddim, hyd yn hyn, wedi dysgu dim am ystyr bywyd, am y rheswn dros bethau, wrth ddarllen diwinyddiaeth. Ond fe ddysgais ychydig, hwyrach, am y modd i wynebu'r hyn sydd yn f'aros i. Mae Owen Parry, wrth gwrs, yn credu fod diwinyddiaeth yn egluro ystyr y greadigaeth. Rydw i wedi dod i genfigennu'n fawr wrth Owen Parry. Ond nid am y rheswm yna. Mae Owen Parry'n byw ar ben y stryd, ac mae o wedi byw yno erioed, ar wahân i ddwy flynedd anhygoel a dreuliodd o ar y môr. Mae o wedi bod yn gweithio ar y ffermydd y rhan fwyaf o'r amser. Mae o bellach yn bedwar ugain oed, yn byw ar ei ben ei hun, yn cadw ei dŷ yn dwt fel pin mewn papur. Mae o'n cerdded i fyny i Fryn Meillion am ei ginio dydd Sul, ond ar wahân i hynny mae'n torri ei gwys ei hun.

separate sound, assessing the degree of panic and chaos each morning from the volume and frequency of various sound-patterns. Then the door would open and slam shut several times in quick succession. Then silence. Total silence, clock-ticking silence after everyone had gone. That was the signal for me to get up very slowly, dragging myself around the room like an old man, until the tablets had begun to dissipate the morning pain and given me a modicum of strength. I missed all that. I woke up and longed for it every morning. I wept in my weakness as I longed for it. But Sal was around. And it is an incontrovertible fact that a human being is capable of adapting to anything at all, as long as life lasts. I forced myself to face myself. And I achieved this by doing it literally.

Once Sal had gone down to start preparing breakfast this morning, I got up and went over to the mirror. I stared at the pale unshaven face staring back at me, and I said: 'Right; you are alive. You can move. That is the truth about today. Go and shave and wash.' And so I made myself go and tackle the minutiae of the day. I had to do that immediately, or I would use the pain as an excuse to stay in bed. Once I was on my feet it was possible to think about using the day. One more day. It was more difficult to face my thoughts.

But it was necessary to do that as well. Although Sal was with me a great deal of the time, and although she drove me around in the car to visit one or two chosen friends, to enjoy the scenery, I had persuaded her that it was necessary for her to go down to Cardiff from time to time to keep in touch with the children. The double journey would be too much for me now, and so I would stay at home. To try to face my own thoughts. And that gave me an opportunity to do two things. To read, and to get to know Owen Parry, Tŷ'n y Gornel.

I had begun to read with Llŷr, Llŷr and his stars. And then I turned from astronomy to astrophysics. And from that to theology. (Popular handbooks, I'm talking about obviously, I didn't suddenly develop some kind of bionic brain). So far, I don't think I've learnt anything about the meaning of life by reading theology. But maybe I've learnt a little more about myself. Owen Parry, of course, believes that theology explains the meaning of the universe. I have come to envy Owen Parry a good deal. But not for that reason. Owen Parry lives in the end house, and he's always lived there,

Ar fy nheithiau i fyny'r allt yn ystod y dydd fe fydda i'n galw heibio Owen Parry y dyddiau hyn, weithiau am amser hir, weithiau am ddeng munud. Fe fydda i'n cerdded i mewn trwy'r drws agored – fydd y drws byth ar gau, er mai chydig iawn sy'n derbyn y gwahoddiad i fwrw i mewn.

'Owen Parry. Oes yma bobol?'

'Steddwch, Mr Bowen. Rydw i jest isio gorffen rhyw bwt o waith yn y gegin 'ma. Fe fydda i drwodd mewn munud. Peidiwch â mynd.'

Rydw i'n cael eistedd yn llonydd wedyn, a'm cefn ar y palis, a chael suddo'n araf bob tro i drefnusrwydd a chartrefolrwydd yr ystafell. Dydw i ddim erioed yn cofio eistedd mewn ystafell mor llawn o gynhesrwydd sefydlog. Mae'n siŵr fod lleoedd felly adref erstalwm, ond doeddwn i ddim wedi bod yn agored i'w hud-a-lledrith. Roeddwn i ar ormod o ruthr, yn rhy lawn o'r angen i weithredu, o fynd bob amser i rywle gwahanol. Mae'r ystafell hon yn llawn tystion o'r blynyddoedd y mae Owen Parry wedi eu treulio ynddi. Cyn hir fe ddaw Owen Parry trwodd o'r cefn, ei gap yn dynn ac yn wastad ar ei ben a wats boced fetel fawr yn ei law ymron bob tro roeddwn i'n ei weld. Roedd o'n cael trafferth fawr hefo'i wats.

'Dydy'r hen wats 'ma ddim yn mynd debyg i ddim y dyddiau yma. Ydach chi'n dallt watsys, deudwch?'

'Na, wir, Owen Parry . . . ddim llawer o glem . . .'

'Na, wel, digon o betha erill i ddarllen amdanyn nhw, siŵr o fod . . .'

Dydw i ddim yn siŵr beth yn union oedd delwedd Owen Parry o goleg. Er ei fod yn ddyn effro a darllengar, doedd o ddim erioed wedi bod y tu mewn i furiau unrhyw goleg, ac fel hen lanc doedd o ddim wedi dod ar draws myfyrwyr yng nghwrs ei fywyd. Roedd y cyfan felly, rwy'n credu, yn llawn rhamant a chyfriniaeth iddo. Mae o'n wrandawr mawr ar y radio, ac erbyn hyn yn ddigon parod i drafod rhaglenni ar y teledu.

Y tro diwethaf y bûm i yno fe fu'r ddau ohonom ni'n cynnal sgwrs gwbl anneallus ynglŷn â'r rhifyn o'r rhaglen *Tomorrow's World* lle roedd Raymond Baxter yn dangos sut y gellid cael teliffon gweledol a wyneb y siaradwr, yn ogystal â'i lais, yn hedfan dros y gwifrau i'r pen arall. Ond nid am ei sgyrsiau na'i frand

apart from two tempestuous years he spent away at sea. He's been a farm labourer most of that time. He's now eighty-two, he lives alone, and keeps his house in apple-pie order. He walks up to Bryn Meillion for his Sunday lunch, but apart from that he ploughs his own furrow.

On my way up the hill during daylight journeys, I have taken to calling on Owen Parry, sometimes for a long session, sometimes for ten minutes. I walk in through the open door – the door is never closed except in high wind, although there aren't many to accept the invitation nowadays.

'Owen Parry? Anyone at home?'

'Sit down, Mr Bowen. I just want to finish a little job in the kitchen here. Be through in a tick. Don't go.'

So then I sit quietly, my back hard up against the wooden partition, and lose myself in the changelessness of the room. I don't remember ever being in a room so redolent of warmth and stability. No doubt there were such places long ago, but I don't remember coming across them. I was too busy, too full of the need to do things, to explore, to be one of the lads, rushing here and there and everywhere, to notice such things very much. This room is full of the years Owen Parry has spent in it. Before long, he himself will come through from the back, his cap firm and absolutely level on his head, and his great turnip watch almost always in his hand. He had great difficulty with that watch.

'This old watch isn't quite right these days. Do you understand watches, Mr Bowen?'

'No indeed, Owen Parry, not much of a clue . . .'

'No, well, plenty of other things to read about, no doubt . . .'

I'm not too sure what exactly Owen Parry's image of a college was. Although he was an intelligent and quick-witted man, and a great reader, he had never been inside the wall of any college, and, as a bachelor who kept himself to himself, he had hardly ever come into much contact with students. So I think the whole business was still pretty glamorous and mysterious for him. But he's an avid listener to the radio, and by now I can get him to discuss the odd television programme.

The last time I was there, the two of us had a pretty bizarre conversation about the edition of *Tomorrow's World* where Raymond Baxter was demonstrating visual telephones. Owen Parry had hardly become accustomed to aural telephones, after all. But it isn't

arferol o ddoethineb lleol y byddwn i'n galw ar Owen Parry. Yr hyn a'i nodweddai oedd dyfnder ei berthynas â'i fyd ei hun. Fel gyda William Thomas yn ei ddydd, roeddwn i'n teimlo fod ystyr a siâp i fywyd fel hwn. Yn allanol doedd dim pwrpas iddo fel y cyfryw, dim gorchestion, dim amcan. Ar un wedd chyflawnodd o fawr ddim. Ni fyddai neb yn galaru'n ddwfn iawn ar ei ôl. Ond nid yn y cyflawni yr oedd y wyrth. Ac nid yn yr ystyr a'r pwrpas. Ond yn y byw ei hunan. Yn y ffaith fod dyn yn byw'r math hwn o fywyd, yma ar ei ben ei hun. Yma, heb unrhyw gymhelliad cryf iawn, roedd yn gosod urddas a threfn ar batrwm pethau. Yma'n dlawd a heb obaith am gyfoeth roedd Owen Parry'n cynnig safonau y gallai dieithryn fel fi alw i mewn a'u hedmygu. Edmygu ei drefn. Edmygu ei allu i dderbyn. Edmygu'n derfynol urddas ei annibyniaeth.

'Cwpaned o de?'

'Wel, os ydach chi . . .'

'Debyg iawn.'

Roedd ei de'n ddychrynllyd o gryf, a'r dail yn hwylio'n braf ar yr wyneb. Roeddwn i wedi dod i gynefino â hwnnw hefyd . . . Rydw i'n blino wrth ysgrifennu erbyn hyn. Ac mae fy mysedd i'n brifo. Mae'n rhaid rhoi taw arni, er fy mod wedi bwriadu dweud rhywbeth arall am Owen Parry, rhywbeth a ddywedodd o wrtha i ddoe. Fûm i yno ddoe? Wel, dydw i ddim yn cofio. Mae'n rhaid tewi.

Mawrth 23

Pan ddaethom ni yma gyntaf . . . Mae'r ymadrodd bellach yn ymestyn yn ôl i bellafoedd hanes. Mae hi'n bum wythnos er pan ddaethom ni yma. Pum wythnos dragwyddol. Pan ddaethom ni yma gyntaf roedd fflyd o bobl yn heidio yma i'n gweld ni. Pobl o'r Gogledd nad oeddwn i ddim wedi eu cyfarfod ers blynyddoedd. Pobl o Gaerdydd yn awyddus i weld pa fath le roedd John Bowen wedi dianc iddo. Eraill, fel Dafydd a Phil, yn awyddus i'n cadw mewn cyswllt â'r holl bethau pwysig oedd yn digwydd yng Nghaerdydd. Doedd y pethau ddim erbyn hyn yn bwysig i mi. Doedden nhw ddim yn perthyn i mi ddim rhagor. Na'r bobl chwaith, i ddweud y gwir. Roeddwn i'n dechrau colli nabod arnyn

for bizarre chats nor even for his own brand of folklore that I have got into the habit of calling on Owen Parry. The thing that makes him noteworthy for me is the depth of his relationship with his own environment. As with William Thomas in his day, I felt there was a form and a meaning to a life like this. Outwardly, it didn't appear to have any very significant purpose, no achievements, no targets. From one aspect, he encompassed very little. And nobody would grieve very deeply after he was gone. But the marvel was not in any sum total of achievement. Nor in any particular meaning or purpose. But in the life itself. In the fact that a man, after eighty years, lived as he did, here, alone. Here, without any great motivation, he gave form and dignity to the nature of things. Here, poor all his life, and with no hope at all of any alleviation of that fact, Owen Parry could offer criteria of living that a stranger like myself could call in on and envy. Envy his ordered acceptance of life. Envy the absolute dignity of his independence.

'Cup of tea?'

'Well, if you're . . .'

'Of course.'

His tea was horribly strong, with the tea leaves floating generously on the surface. I had adjusted to that well . . . I'm tired of writing now, and my fingers ache. I shall have to give it up and go to bed, although I had intended saying something else about Owen Parry, something he said to me yesterday, I think it was. Was I there yesterday? Well, I don't honestly remember . . . I must go to bed.

March 23

When we came here first . . . The phrase stretches back by now into the recesses of history. It is five weeks since we came here. Five endless weeks. When we came here first, crowds of people came to see us. People from north Wales that I hadn't seen for years. People from Cardiff anxious to discover what kind of refuge John Bowen had fled to. Others, like Dafydd and Phil, eager to keep us in touch with all the important things that were happening in Cardiff. These things were no longer important to me. They didn't belong to me any longer. Nor the people either, if the truth be told. I was beginning to drift away from them. And they could see that. They came less frequently. Dafydd is the only one who has been up from

nhw. Ac fe welson nhw hynny. Fe ddechreuson nhw beidio â dod. Dafydd ydy'r unig un sydd wedi bod i fyny o Gaerdydd ers pythefnos bellach. Ar wahân i'r plant, wrth gwrs. Fe ddaeth y plant heddiw. A phob tro y daw'r plant, fe fydda i wedi blino. Wedi blino'n ofnadwy.

Mawrth 24

Fe ddigwyddodd cymaint o bethau heddiw, rwy'n fy ngorfodi fy hunan i eistedd i lawr yn daclus ar unwaith a gosod trefn arnyn nhw. Rydw i wedi cael pwl o fod yn swrth a difywyd yn ddiweddar. Ond mae digwyddiadau heddiw wedi ysgubo hynny i gyd i ffwrdd. Roedd fy myd i'n llawn cynnwrf trwy'r nos a'r dydd. Digwyddodd y cyfan rywdro ynghanol y nos neithiwr. Fe ddeffrois tua dau o'r gloch y bore hefo'r boenau mwyaf dychrynllyd a cheisio sleifio i'r tŷ bach heb ddeffro Sal. Roeddwn i wedi dysgu'n dda erbyn hyn sut i ddefnyddio'r pils i leihau'r boen ar y naill law, ac i aros yn gymharol anffwndrus trwy'r dydd ar y llaw arall. Ond yn y nos roedd y cythraul ambell waith yn ennill. Erbyn hyn roedd yn rhaid codi ddwywaith yn ystod y nos i gymryd y pils, ac roedd Sal fel arfer yn deffro fel cloc ar yr adeg briodol ac yn fy neffro innau.

Neithiwr, am ryw reswm, fe fethodd y ddau ohonom ni ddeffro mewn pryd, a phan ddeffrois i o'r diwedd roeddwn i'n mwmblan yn aneglur wrthyf fy hun, yn gafael yn fy stumog ac yn chwysu drostof. Nifer o weithiau yn ystod yr wythnosau diwethaf roeddwn i wedi cael fy hunan fel pe bawn i'r tu allan i'm corff yn edrych i lawr – neu i mewn – arnaf fi fy hun o rywle arall. Roeddwn hyd yn oed wedi dechrau sôn amdanaf fy hun ar yr adegau hyn yn y trydydd person. Fe ddigwyddai, fel arfer, ar adegau o boen dirdynnol. Pan ddeuai'r boen – ac fe allwn bellach ei deimlo'n dod o bell, fel cawod ar y môr yn cychwyn yn olygfa wrthrychol, ddiddorol, ar orwel, ac yn araf, yn anochel, yn ysgubo ar draws y dŵr hyd nes i'r dafnau cyntaf ysbeidiol arloesi'r ffordd i'r gawod ei hunan ein taro ninnau â'i hoerni gwlyb. Does dim modd o gwbl ei atal. Mae'n ddi-droi'n ôl. Gallwn broffwydo'r boen cyn iddo ddechrau anghysuro fy nerfau, ymhell cyn i'r anghysur dyfu'n boen. Ond ni allwn wneud unrhyw beth ond disgwyl. I ddechrau fe fyddwn i'n llonyddu, yn tynhau fy nghyhyrau, yn teimlo poen gwirioneddol cyn iddo ddod, trwy rym dychymyg. Yna fe ddysgais.

Cardiff during the last fortnight. Apart from the children, of course. The children came today. And every time the children come, I end the day exhausted. Llŷr brought me another book. I haven't got around to looking at it yet.

March 24

So many things happened today, I'm forcing myself to sit down at once, to try and record them in some kind of order. I've had fits of being lifeless and apathetic recently. But today's events swept all that away. My life was full of excitement all night and all day. It all began sometime during the early hours of this morning. I woke up about two o'clock with terrifying pains, and I tried to crawl to the lavatory without waking Sal. I have learnt pretty well by now how to use the tablets to alleviate the pain on the one hand, and to remain reasonably lucid all day on the other. But during the night the bastard sometimes won. By now, I have to get up twice during the night to take the tablets, and Sal usually wakes precisely at the right time, and wakes me.

Last night, for some reason, we both failed to wake up at the right time, and when I woke up at last I was mumbling inarticulately to myself, gripping my belly and sweating profusely. Several times during these last weeks, I've had the odd experience of sensing that I was in some way outside my body and looking down – or in – on myself from somewhere else. I had even started talking about myself to myself on these occasions in the third person. It usually happened when the pain was worst. When the pain moved towards a climax – and by now I could feel it building up from a distance, like a shower of rain at sea, beginning as an interesting, objective event, somewhere on the horizon of perception, then slowly, inexorably, sweeping across the water until the first, differentiated drops prepared the way for the shower itself to lash at you with all its force. There is no escape. It is relentless. I can prophesy it, and the nature of it, before it begins to aggravate the nerve-ends, long before discomfort turns to pain. But I can never do anything about it. To begin with, I used to stay still, tighten my muscles, and wait for the pain to come. But as it grew worse, that was no use, and I learnt a better technique. It was much better now to do something,

Roedd yn llawer iawn gwell ymbrysuro, gorfodi'r corff i ateb galwadau eraill, cadw'r Cythraul draw hyd nes y deuai ergyd ganolog y boen, yr ergyd na ellid ei gwrthsefyll, yr ergyd a fynnai holl sylw pob gewyn a chyhyr a nerf ym mhob aelod o'r corff. Ond wrth beidio ag eistedd a disgwyl iddo gyrraedd, roeddwn yn dioddef llai, roedd y boen yn distewi'n gynt, roeddwn yn gallu ymladd yn well yn ei erbyn, er i mi golli bob tro yn y diwedd.

Ond yn ddiweddar, ar uchafbwynt y boen, pryd yr oeddwn yn gorfod ymladd gorff ac enaid i ymatal rhag gweiddi a lluchio fy hunan o gwmpas yn anifeilaidd, roeddwn yn sydyn yn gallu datgysylltu fy hun o'r holl sefyllfa, ac edrych arni, edrych arnaf fy hunan, yn oeraidd-wrthrychol, fel pe bawn i'n sylwedydd o fyd arall, a hyd yn oed gwneud sylwadau ar y modd yr oeddwn yn delio â'r boen.

Felly roedd hi neithiwr. Gwelais fy hun yn stryffaglian allan o'r gwely heb ddeffro Sal a stwmblan fy ffordd i'r tŷ bach, ac ar fy ngliniau chwydu f'enaid allan drosodd a throsodd i'r bowlen. Yna, fel y daeth corff ac enaid yn ôl at ei gilydd yn raddol fach, ac fel y deuthum innau'n ôl, yr un mor raddol, i'r lefel arferol o ymwybyddiaeth, sylweddolais fod sŵn od i'w glywed allan ar y ffordd – a sŵn llechwraidd. Llonyddais. Anghofiais y boen oedd bellach yn diflannu dros y gorwel. Gwrandewais yn astud. Roedd rhywbeth yn digwydd y tu allan.

Yng Nghaerdydd ni fyddwn wedi meddwl ddwywaith ynglŷn ag unrhyw stŵr – llechwraidd neu fel arall – y gellid ei glywed y tu allan. Yn y pentref roedd pethau'n wahanol. Erbyn hyn roeddwn ymron iawn yn gallu dweud pwy oedd yn pasio pa bryd, unrhyw adeg o'r dydd neu'r nos. Roeddwn yn adnabod sŵn y rhan fwyaf o'r ceir a rygnai heibio i fyny'r allt yn ddigon da. Roeddwn yn adnabod pob llais yr oeddwn wedi arfer â'i glywed. Doeddwn i ddim yn adnabod y seiniau hyn. Yna fe glywais sŵn ffenestr yn torri. Penderfynais fod yn rhaid gwneud rhywbeth. Roedd rhywun yn treisio heddwch hunan-ddigonol ein pentref. Es i'r ystafell wely ac ysgwyd Sal.

'Mmm? Mmm? O damo, w i wedi anghofio . . .'

'Na! Ssht? Gwrandawa.'

'Mmm?'

Eisteddodd i fyny yn y gwely. Bellach roedd popeth yn hollol ddistaw. Dim siw na miw.

to force the body to be active, keep the bastard on the edge of consciousness until the whole force of the wave hit me, the final impact that couldn't be ignored, the impact that demanded the full attention of every muscle and tendon and nerve in my whole body. But by not sitting and waiting for it to happen, I suffered less, the pain retreated more quickly, and I could fight it more effectively. Of course, I always lost in the end.

However, recently, at the climax of the pain, when I had to fight desperately to prevent myself yelling at the top of my voice and throwing myself about like a wounded animal, I was suddenly able to detach myself from the whole situation, and look at it, look at myself, quite coolly, objectively, as though I was a visitor from another planet. I could even feel critical about my own incapacity to handle the pain more effectively.

That was how it was last night. I watched myself scrabbling my way out of bed without waking Sal, and stumbling along to the lavatory, collapsing on my knees and vomiting over and over again into the pan. Then, as body and soul came together again, slowly and painfully, and as I returned, equally slowly, to live inside my stupid body, I came to realise that there were odd noises coming from the road outside. I stiffened. I forgot the pain, that was in any case disappearing over the horizon by now. I listened intently. There was quite definitely something going on out there.

In Cardiff, I wouldn't have thought twice about any racket, mysterious or obvious, that disturbed the night. In the village, it was different. By now, I could very nearly tell who was passing and when, at any hour of the day or night. I knew the sound of most of the cars that grumbled past us up the hill well enough. I knew most of the voices that normally went past my window. I didn't recognise these sounds at all. Then I heard the sound of breaking glass. I decided something would have to be done. Someone was trespassing on our territory. I went back into the bedroom and shook Sal.

'Mmm? Mmm? O damn, I didn't wake up . . .'

'No! Ssht. Listen.'

'Mmm?'

She sat up in the bed. By now everything was absolutely quiet. No sound at all.

'Mae rhywbeth od yn digwydd y tu allan.'

'Mmm? Wyt ti'n ol-reit?'

'Rydw i'n mynd allan i weld.'

Roedd Sal ar yr un pryd yn ymladd â'i chwsg ac â'i theimlad fod rhyw dwymyn wedi cael gafael ynof i. Cododd yn ffrwcslyd a cheisio cael gafael ar bar o drowsus a chrys. Cyrhaeddodd am swits y golau, ond gafaelais yn ei braich.

'Na. Paid. Gad i mi fynd i lawr i weld . . .'

Tynnais innau drowsus am fy noethni, sodro anorac amdanaf, a chychwyn i lawr y grisiau. Fel yr oeddwn yn cyrraedd gwaelod y grisiau torrodd y panel gwydr yn y drws gydag un ergyd dawel a gwelais law mewn maneg yn ymbalfalu i geisio ei agor. Llamais ar draws yr ystafell a chipio'r drws yn agored. Gwelais gip yn y tywyllwch ar wyneb merch ifanc yn llawn dychryn. Yna trodd ar ei sawdl a rhedeg nerth ei thraed i fyny'r ffordd heb yngan gair. Daeth ffigur arall allan o'r cysgodion. Fflachiais dorts yn ei wyneb. Roeddwn yn ei adnabod. Roedd yn fyfyriwr yn y coleg yng Nghaerdydd. Gwylltiais.

'Be ddiawl 'dach chi'n 'i feddwl dach chi'n 'i wneud? Torri i mewn i dai pobol ganol y nos . . . Dwli gwirion . . . beth oeddach chi'n dreio wneud?'

'Mr Bowen!'

Roedd wedi dod yn nes ataf ar ôl clywed fy llais ac roedd syndod llwyr yn ei lais yntau pan welodd fy wyneb.

'Beth ych chi'n ei wneud yma?'

Roedd y ferch wedi peidio â rhedeg erbyn hyn, ac ymddangosodd dau gysgod arall yn ofalus o'r tywyllwch. Roedd Sal hefyd wedi cyrraedd. Edrychodd ar y gwydr ar lawr a dechreuodd drefnu pethau. Cerddodd heibio i mi ac allan ar stepan y drws.

'O'r gorau. Mae'n well i chi ddod i mewn. Bawb ohonoch chi. Cystal i ni gael gwybod beth sy'n digwydd. Fe a' i i wneud cwpaned o de.'

Daeth y pedwar i mewn yn anhapus. Doeddwn i ddim wedi gweld y ddau fachgen o'r blaen, ond credais i mi weld y ferch, merch dywyll, siapus, hefo'r bachgen o'n coleg ni o gwmpas y caeau chwarae. Safodd pawb yn un rhes yn yr ystafell fyw, fel plant mewn stydi prifathro yn disgwyl cosb.

'O, eisteddwch i lawr, eisteddwch yn rhywle. Mae'n well i ti ddweud wrtha i pwy ydy'r gweddill.'

'There's something peculiar going on outside.'

'Mmm? Are you alright?'

'I'm going out to see.'

Sal was still trying to shake off the effects of sleep, and she was bothered at the same time by the conviction that I was feverish. She got up in a flustered way, and tried to get hold of trousers and sweater. She reached for the light switch, but I grabbed her arm.

'No. Don't. Let me go down to see . . .'

So I pulled on a pair of trousers, thrust my arms into an anorak, and tiptoed downstairs. Just as I had my foot on the bottom stair, the glass panel in the front door broke with one firm blow, and a gloved hand came through and started to feel for the lock. I rushed across the room, and flung the door open. I saw a quick glimpse of a panic-stricken face, a girl's face. Then she turned on her heel and ran off up the road without saying a word. Another figure emerged from the shadows. I flashed my torch in his face. I knew him. He was a student at the college in Cardiff. I lost my temper.

'What the bloody hell do you think you're doing . . . What the hell is going on . . . What's going on?'

'Mr Bowen!'

He had come closer to me as soon as he heard my voice, and there was genuine shock in his voice.

'What are you doing here?'

The girl had now stopped running, and two other figures detached themselves carefully from the shadows. Sal too had arrived. She looked at the glass on the floor, and started to sweep it up. Then she pushed past me, and stood on the doorstep.

'All right. You'd better come in. All of you. We'd better know just what is going on. I'll go and make a cup of tea.'

The four of them straggled in unhappily. I hadn't seen the other two boys before, but I thought I'd seen the girl, a dark, slim girl, hanging about with the lad from our college around the playing fields. Everyone stood in a row in the living room, like children awaiting punishment in the headmaster's study.

'Oh, sit down, for God's sake. You'd better tell me who these others are.'

Roedd gen i syniad erbyn hyn beth oedd yn digwydd. Ond fe fyddai'n rhaid iddyn nhw egluro, air am air.

'Ym, Gwenda Parry, o Goleg y Brifysgol, Caerdydd, Siôn ap Dafydd a Myrddin Gruffydd o Goleg Aberystwyth.'

Gwenodd y gweddill yn wan. Roeddem ni bron iawn ag ysgwyd llaw yn ffurfiol.

'Reit. Nawr 'te, beth sy'n digwydd? Tipyn bach o "burglary" i helpu'r grantiau?'

Ond doedden nhw ddim yn teimlo fel chwerthin. Roedden nhw'n llawn difrifoldeb.

'Chi'n gweld, rŷm ni'n cymryd meddiant o'r tai am eu bod nhw'n dai haf. Rŷm ni'n gwneud protest.'

'Doeddem ni ddim yn gwybod,' meddai'r ferch, gan wenu'n gam, 'fod neb yn byw ynddyn nhw. Fe ddylem ni fod wedi gwneud ymchwil mwy gofalus.'

'Does neb yn byw drws nesa, beth bynnag,' meddai un o fechgyn Aberystwyth, yn ymosodol-amddiffynnol, 'a thŷ haf ydy hwn. Dydy hynny ddim wedi newid, yn nac ydy, am fod y bobol yma'n digwydd bod yma heno? Dydy o'n newid dim ar yr egwyddor.'

Ceisiais egluro'r sefyllfa iddo, ond doedd o ddim, i fod yn onest, yn rhyw lawer o wrandawr. Yna daeth Sal i mewn hefo cwpaneidiau o de, a'u pasio nhw o gwmpas yn dawel. Eisteddodd ar y llawr wrth fy nhraed.

'Adfer, iefe?'

'Na. Mae Adfer yn hen fudiad bellach. Maen nhw wedi methu rhoi terfyn ar y busnes tai haf. Mae pentrefi'n dal i farw. Mae eisie gwneud pethe mwy pendant, pethe sy'n sicr o ddenu sylw'r cyhoedd. Mae'n rhaid.'

Roedd y ferch wedi tanio sigarét, ac roedd yn gwau ei bysedd i mewn ac allan ac yn pwffian yn fyr, ddiamynedd bob yn ail.

'Chi'n iawn.'

Pasiodd Sal y cwpanau o gwmpas. Roedd hi'n gwisgo ei hwyneb set, penderfynol.

'Chi'n iawn. Ddylen nhw ddim cael dod 'ma i lenwi'r lle 'da Saeson o'r dref.'

'Tasa tai ddim yn wag yn y lle cyntaf, fyddai hi ddim wedi bod yn bosib iddyn nhw 'u prynu nhw,' meddwn innau, braidd yn grintachlyd.

I had a good idea by now what it was all about. But they were going to have to tell me themselves, word by bloody word.

'Um, Gwen Parry, from Cardiff University, Siôn ap Dafydd and Myrddin Gruffydd from Aberystwyth . . .'

The others smiled bleakly. We had almost got to the point when we would be formally shaking hands, robbers and robbed.

'Right. Now then, what's going on? A little burglary to help out the grant?'

But they didn't feel like laughing. They were all full of serious intent.

'You see, we're occupying these houses because they're second homes. It's part of the protest . . .'

'We didn't know,' said the girl, trying to smile politely, 'that anyone was living here. We ought,' she went on, looking accusingly at the broken door panel, 'to have made sure of our facts.'

'There's no one living next door,' said one of the Aberystwyth lads, glaring at me accusingly, 'and this is a weekend cottage anyhow. That hasn't changed, has it, just because these people happen to be here tonight? It doesn't affect the principle?'

I tried to explain the situation to him, but he wasn't much of a listener, and in any case I became aware almost immediately that I was in fact excusing my presence in my own dwelling to someone who had it in mind to evict me and occupy the place himself. I ground to a halt. Then Sal came in with cups of tea, and passed them round in silence. She sat down at my feet.

'The Adfer movement, is it?'

'No. Adfer's out of date now. They've failed to put a stop to this second home thing. Villages are still dying. More positive action has to be taken. Something the public will have to take notice of. It has to be.'

The girl had lit a cigarette, and she was weaving patterns with her fingers and puffing nervously the while.

'You're right.'

Sal passed the biscuits. She was wearing her fixed, determined face.

'You're right. They shouldn't be allowed to come and fill the village with refugees from the cities.'

'If the houses weren't empty in the first place, it wouldn't have been possible for them to buy them,' I said sulkily.

Roeddwn wedi troi fy nghefn arnyn nhw i chwilio am gwpanaid o de, ond fe allwn i deimlo pum pâr o lygaid yn llosgi trwy 'nghefn i. Y ferch siaradodd.

'Fe fydde digon o Gymry'n foddlon eu prynu nhw a chreu cymdeithas Gymreig yma unwaith yn rhagor, pe bai'r Saeson ddim wedi gwthio'r pris y tu hwnt i gyrraedd pawb,' meddai hi'n denau.

'Beth yw'ch cynllunie chi, 'te? Beth ych chi am wneud?'

'Mae hynny'n gyfrinachol, Mrs Bowen.'

Roedd Myrddin, y bachgen swta o Aberystwyth, yn amlwg yn teimlo fod yr amser wedi dod i roi terfyn ar y parti. Cododd ar ei draed.

'Mae'n well i ni fynd.'

'Mae'n ddrwg iawn gennym ni'ch trafferthu chi.'

Teimlai'r bachgen o Gaerdydd – fedrwn i yn fy myw gofio ei enw, er fy mod i fod i'w adnabod yn dda – fod galw arno i ymddiheuro.

'Peidiwch â phoeni o gwbl. Dewiswch dŷ gwag y tro nesaf.'

Chwarddodd Sal yn rhy uchel am ben ei jôc ei hunan. Gwenodd y gweddill yn boléit. Aeth Sal yn ei blaen.

'Os gallwn ni fod o unrhyw help, gadewch i ni wybod . . .'

Gwenodd y criw'n fwy poléit fyth, a gwneud eu ffordd ar draws y lôn i'w car. Trodd y ferch cyn ei gyrraedd, fel pe bai hithau'n teimlo fod angen rhagor o eglurhad.

'Fydde dim llawer o bwynt i ni fynd i mewn i'r tai o boptu i chi bellach. Fe fyddai'n ymddangos braidd yn . . .'

Gwenodd unwaith yn rhagor, chwifiodd ei llaw'n annelwig a phlymiodd i mewn i'r car. Safodd y ddau ohonom ar stepan y drws a gwylio'r Austin yn pesychu ei ffordd i fyny'r allt, ac allan o'r pentref. Trodd Sal arna i'n ffyrnig ac yn hollol annisgwyl.

'Pam rwyt ti'n chwerthin?'

'Pam? Wel . . .'

'Pobol ifanc dwl, yntefe? Ffyliaid yn torri mewn i dai pobol? Fel 'na rwyt ti'n eu gweld nhw, yntefe? Dwyt ti ddim yn cydymdeimlo o gwbl, yn nag wyt ti? Dwyt ti ddim yn gweld . . .'

'Sal, beth sy'n bod arnat ti? Wnes i ddim ond . . .'

'Wnest ti ddim ond chwerthin. Na, dim ond chwerthin. Rych chi'r bois rygbi'n rhai da am chwerthin, on'd ych chi? Am bopeth ond am y Gêm. Jôc ydy gwleidyddiaeth. Jôc yw protest. Jôc yw Cymru, os nad yw hi'n gwisgo crys coch a throwsus bach. Jôc yw

I had turned my back on them to look for the milk, but I could feel five pairs of eyes burning into my back. It was the girl who spoke.

'There are plenty of Welsh people who would have been willing to buy them and build a community in places like this one again, if the English hadn't pushed the prices up beyond everyone's reach,' she said thinly.

'What are your plans then? What are you planning to do?'

'I'm afraid we can't talk about that, Mrs Bowen.'

Myrddin, my enemy from Aberystwyth, had obviously decided that the time had come to bring the party to an end. He got up.

'We'd better go.'

'Look, I'm sorry we bothered you like this . . .'

The lad from Cardiff – I couldn't for the life of me remember his name, although I think I was supposed to know him quite well – obviously thought that some kind of apology was now called for. Sal reacted at once.

'Don't worry. Don't worry at all. Choose an empty one next time!'

She laughed too loudly at her own joke. They all smiled politely. Sal went blundering on.

'If there's any way in which we can help . . .'

They smiled even more politely, and went out, crossing the road in the direction of their car. As they reached it, the girl turned, as though she too felt that some further explanation was necessary.

'There wouldn't be much point going into any of these other houses now. It would seem a bit . . .'

She grinned, waved her hand vaguely and disappeared into the car. The two of us stood on the doorstep and watched the Austin coughing its way up the hill, and out of the village. I was chuckling to myself, and Sal turned on me ferociously.

'What are you laughing for?'

'What? Well . . .'

'Silly young idiots? That's it, isn't it? Breaking into people's houses . . . That's how you see them, isn't it? You don't sympathise at all, do you? You don't see . . .'

'Sal, cool down, for God's sake. I only . . .'

'You only laughed. Yes, you only laughed. You are great ones for laughing, aren't you? The rugby crowd. About everything except The Game. Politics is a joke. Protests are a joke. Wales is a joke,

pobol ifanc sy'n treial gwneud rhywbeth i newid pethe, yn lle prancio ar gae pêl-droed . . .'

'Beth sydd wedi dŵad drostat ti, Sal? Ddwedes i ddim byd . . . Chwerthin am ben y car oeddwn i . . . Cofio am . . .'

'O, ie ie, does dim achos i ti egluro. Wel, rydw i'n digwydd credu eu bod nhw'n iawn, John. Mae 'da nhw achos i fyw drosto fe . . .'

'Dyna beth sy'n bwysig, ia? Cael achos i fyw?'

'Ie.'

Roedd hi wedi mynd i'r gegin hefo'r cwpanau. Daeth yn ôl rŵan, ac edrych arnaf i'n dal i sefyll wrth ymyl y drws.

'Ie.'

'A does gynnom ni ddim?'

'Na.'

'Beth am y plant? Ydyn nhw ddim yn ddigon o achos?'

'Plant? Y plant? O, ffantastig! Clywch pwy sy'n siarad! Faint o amser wyt ti wedi'i dreulio 'da'r plant? Faint o gyfraniad wyt ti wedi'i wneud iddyn nhw?'

'Dydy hynna ddim yn deg.'

Edrychodd arnaf. Chwarddodd yn sarrug. Roedd yr ystafell yn dechrau troi o'm cwmpas ac eisteddais yn drwm ar y setl hen-ffasiwn y tu ôl i'r drws.

'Na. Dyw e ddim. Dwyt ti ddim wedi bod yn wahanol i bob gŵr arall yn dy griw di. Ond paid â sôn am blant fel achos bywyd. Efalle fod y plant yn gysur i ti nawr. Hwyrach y gelli di dwyllo dy hunan mai'r plant sy'n hollbwysig i ti nawr. Ond aros nes byddi di'n ôl 'da'r bois. Yn gorfod bod yn y Strade neu St Helen's neu rywle ddwywaith yr wythnos. Mae plant yn tyfu lan, John, ac yn mynd. Mae Menna wedi mynd eisoes, ta beth. A pha mor ddibynnol wyt ti'n meddwl ydi Siôn?'

'Chwarae plant mae'r myfyrwyr 'ma, Sal. Ti a nhw. Chwilio am grwsâd yn rhywle am na fedran nhw ddim diodde bywyd bob dydd . . .'

'Fe fyddi di'n grêt o lywydd i Undeb Rygbi Cymru ryw ddiwrnod, John. Rwyt ti'n dweud y pethau cywir yn barod. Y peth nesa ddylet ti wneud yw mynd â thîm i Dde Affrig i chware'n erbyn dynion gwyn yn unig . . .'

Aeth y cweryl dwl yn ei flaen yn ddiddiwedd, yn gwbl afresymol, a chadw'r ddau ohonom ni'n dweud y math o beth sy'n

unless it's wearing a red shirt and little white pants. Young people who are really trying to change things are a joke . . .'

'What's come over you? I didn't say anything. I was just laughing at the car . . . Just remembering us . . .'

'Yes, yes. Alright. Don't bother to explain. Well, I just happen to think they're right, John. They've at least got something to live for . . .'

'That's what's important, is it, having something to live for?'

'Yes.'

She had gone into the kitchen with the cups and plates. She came back now, and looked at me still standing by the door.

'Yes.'

'And we don't have anything?'

'No.'

'What about the children? Aren't they enough?'

'The children? The children? Oh, that's terrific. Listen to who's talking. How much time have you ever spent with the children? What have you ever given them?'

'That's bloody unfair.'

She looked at me. She laughed grimly. The room was starting to spin around me and I sat heavily on the old-fashioned settle by the door.

'OK. Yes. It's unfair. You haven't been any different from any other husband in your crowd. But don't talk about children as a reason for living. Maybe the children help you out now. Maybe you can kid yourself that the kids are all-important to you now. But wait until you're back with the boys. Having to be in Stradey or St Helens or somewhere twice a week. Children grow up, John, and disappear. Menna's already gone really. And how long do you think we'll keep Siôn?'

'It's just child's play with these students, Sal. You and them. You're all looking for some bloody shining crusade because you can't put up with everyday life . . .'

'You'll be a great president for the Welsh Rugby Union one day, John. You're already learning to say the right things. The next thing you ought to do is take a team out to South Africa to play against white players only . . .'

The whole ridiculous business went on endlessly, irrationally, and it got us both saying the sort of things you often grandly

144

hofran yn aml yng ngwaelod y meddwl ar adegau diobaith, ond sydd yn gwbl anfuddiol bob amser i'w leisio, ac sydd, sut bynnag, ymhell o fod yn cyffwrdd â chalon unrhyw wirionedd. Yn y diwedd roeddem ni'n eistedd yn ddiflas mewn gwahanol gorneli yn yr ystafell ac yn syllu ar lwydni'r wawr dros y bryniau. Roedd y boen yn ailddechrau a'r ystafell yn oer. Cododd Sal yn flinedig. Ac yn flin. 'Fe a' i i lawr i weld y plant ac i drefnu ar gyfer y gwyliau. Fe fyddi di'n iawn?'

'Byddaf. Byddaf. Wyt ti am aros y noson?'

'Ie. Man a man.'

'Fe gei di gyfle i weld cwpl o dy ffrindiau. Mi wyt ti wedi'u colli nhw.'

'Mmm. Hwyrach y gwna i.'

Ac felly fe aeth, ar ôl brecwast difywyd. Fedrwn i ddim gwneud unrhyw beth. Cydiais yn fy ffon a cherdded allan ar hyd llwybr yr afon. Roeddwn i wedi dod i fwynhau fy nhroeon ar hyd llwybr yr afon. Am y tro cyntaf roeddwn i wedi dod i adnabod un rhan fechan o'r ddaear yn dda iawn. Roeddwn i'n cerdded y llwybr bob diwrnod, gyda mwy a mwy o ymdrech yn ddiweddar, ac yn raddol raddol yn dod i adnabod ffurf a bywyd a chyfnewidiadau coed unigol o ddydd i ddydd. A dod i weld adlewyrchiad o natur y dydd yn lliw a chyflymder yr afon. Doeddwn i ddim erioed wedi gwneud hyn o'r blaen. Rydw i wedi rhuthro o'r naill gae chwarae i'r llall ar hyd a lled Cymru, ac felly wedi gweld mwy ar arwynebedd daear Cymru na'r rhan fwyaf o bobl. Ond heb ei adnabod.

Mae'n hawdd dweud fod fy ngwreiddiau i yng nghysgod yr Eifl. Ac mae hynny'n gronolegol gywir. Ond nid mewn unrhyw ystyr arall. Gan na chefais i ddim tyfu fel bod dynol ac aeddfedu, a hyd yn oed wynebu'r cythraul yma, ym mhresenoldeb beunyddiol, cyfarwydd y rhan honno o'r greadigaeth. Rhyw ran sy'n gwbl gyfarwydd ond ar yr un pryd yn gwbl gyfnewidiol. Hyd yn oed ynghanol Ionawr, er enghraifft, yn groes i'r hyn yr oeddwn i wedi ei gredu'n llac ac yn weddol ddifater, mae dail bychain newydd yn ymddangos ar ganghennau'r drain ac wedyn yn aros yn annatblygedig, ond yn fyw, hyd nes y daw'r cynhesrwydd i'w rhyddhau. Bob dydd hefyd mae'r afon yn wahanol. Bob eiliad, wrth gwrs, mae hi'n wahanol. Mae ffurfiau, cynlluniau, cyfuniadau o liwiau, yn cydymwau'n dragwyddol yn nŵr yr afon. Heb sôn am y

imagine yourself saying wittily and devastatingly in the course of a quarrel, but which most people have the good sense never actually to voice. In the end, we sat miserably in different corners of the room, staring silently at the grey dawn creeping over the hillside. The pain was building up again and the room was cold. Sal got up wearily. And irritably.

'I'd better go down to see the kids today, and get all the holiday arrangements sorted out. You'll be all right?'

'Yes. Of course. Are you going to stay the night?'

'Might as well.'

'A chance for you to see one or two friends. You've missed them.'

'Mmm. Perhaps I will.'

And so that was how she went off, after a limp breakfast. I couldn't even bring myself to clear the breakfast things. I looked at them indecisively for a while, then I fetched my stick and went for a walk along the riverbank. I had come to enjoy my walks along the riverbank. For the first time ever, I had come to know one tiny corner of the earth very well indeed. I walked this way at least once a day, although it was getting increasingly difficult to complete the circuit, and gradually I came to know the changes that took place in trees and leaves from one day to another. And I came to recognise the mood and temper of the day in the colour and pace of the river itself. I had never seen things in this way before. I've rushed around from one playing field to another throughout England and Wales, and I've probably seen as much of the actual topography of Wales as any man. But I haven't got to know any of it.

It was easy to say, earlier on, that my roots lay on the slopes of Yr Eifl. And that, I suppose, was chronologically accurate. But not in any other sense. Because I wasn't allowed to develop and mature as a human being, or even to face this present bastard, in the daily, familiar presence of that landscape. It's certainly a familiar enough landscape. And yet all landscapes are so subject to constant change. Even in the middle of January, for example, quite contrary to what I had loosely and apathetically assumed, new young leaves appear on the boughs of the blackthorn, and then stay there, undeveloped but alive, until the spring warmth really does come to release them. Every day too the river is different. Every second, of course, its composition is reshuffled. Forms, patterns, combinations of colours

pysgod. Am eu gwyliadwriaeth, am gyflymder anhygoel eu symudiadau trwy ddisgleirdeb eu helfen, am gynildeb eu lliwiau. Mae hyd yn oed y cerrig sydd wedi gorwedd dros y canrifoedd dan y dŵr, ac sy'n llyfn ac yn ffurfiedig fel celfyddydwaith, yn gyfnewidiol fyw. Er nad yw gradd cyflymder eu cyfnewidiadau hwy'n berthnasol o gwbl i fychander bywyd dyn.

Y ffaith yw mai mewn cylch bychan iawn y mae dyn yn gallu byw'n effeithiol. Y tu mewn i'r benglog ac o fewn cylch y profiadau sy'n cyffwrdd yn uniongyrchol â'i synhwyrau, o fewn y terfynau hynny, y mae bywyd ystyrlawn pob unigolyn yn cael ei fyw. Pa mor rhwydd bynnag yw trafnidiaeth trwy'r awyr erbyn hyn, a pha mor rhwydd bynnag y bydd teithio trwy'r gofod i blant Siôn a Llŷr, eto o fewn cyrraedd cyffwrdd a blasu ac arogli y bydd bywyd parhaol dyn yn cael ei fyw. Parhaol? Dyna'r gair olaf i'w ddefnyddio am fywyd dyn. Ond, serch hynny, mae rhywbeth arhosol mewn profiadau sy'n taro'n ddwfn ar ein synhwyrau lleiaf cyfarwydd. Rydym ni hwyrach wedi gorddefnyddio'r synhwyrau gweld a chlywed, ac wedi eu camddefnyddio, ac felly ysgafn ac arwynebol yw'r argraffiadau a geir trwy'r llygaid a'r glust, gan amlaf. Ond o gyffwrdd neu arogli rhywbeth newydd, ysgogol, trawiadol, mae'r profiad yn aros.

Ond heddiw ar hyd llwybr yr afon fedrwn i ddim ymhyfrydu mewn unrhyw un o'r pethau hyn. Fel y dywedodd Sal, roeddwn i wedi pwyso ar fy nheulu, ar fy syniad afreal fy hun ynglŷn â'i natur a'i werth, i'm cynnal i yn ystod y misoedd diwethaf. Nhw – y plant yn arbennig – oedd yr unig wir reswm dros gario ymlaen. Ac roedd Sal yn iawn hefyd pan ddywedodd fod yn rhaid cael achos. Dydy bywyd ddim ynddo'i hunan yn ddigon. Mae'n rhaid bod yn fyw er mwyn rhywbeth y tu hwnt i'r penglog-hunan. Neu er mwyn rhywun. Roeddwn i am fyw er mwyn Llŷr. Nid er mwyn Sal. Llŷr fydd fy nghyfiawnhad. Rhywle'n ddwfn iawn yn fy mhersonoliaeth mae'r pethau rhyfeddol hynny sydd mor amlwg ynddo fo. Fel mae'r corff yn methu, mae Sal ei hunan yn tyfu'n llai pwysig.

Oeddem ni'n golygu unrhyw beth i'n gilydd o'r cychwyn y tu hwnt i'n cyrff, a'r pleser corfforol – godidog a chymhleth ac amrywiol, mae'r wir – yr oeddem ni beunydd yn gallu ei gael yng nghyrff ein gilydd? Ond dyna fo, beth ydy bod dynol ar wahân i'w gorff, beth bynnag? Ei gorff ydy o. Fo ydy ei gorff. Ydy'r fath beth

eternally change and interchange in its waters. Not to mention the fish. Their watchfulness. Their incredible speed through their dappled element, the subtlety of their colouring. Even the stones that have lain for centuries beneath the water, smooth and fashioned works of art, are alive and in a state of change. Although the degree of change that you can attribute to them is in no way relevant to the petty scope of an individual human life.

The fact is that a man lives his effective life within a very small compass. It's inside his own skull, and within the bounds of those experiences that impinge directly on his five senses, it's within those bounds that the meaningful life of every individual is lived. However universal air travel may become, and however easy space travel may become for Siôn and Llŷr's children, man's abiding experience will still only take place within the bounds of touch and taste and smell. Abiding? That's the last word to use about human experience. Nevertheless, there is something abiding about those experiences that strike deep into our least developed senses. We have probably overused our visual and auditory senses, and misused them, so that the impressions we take in through the eye and ear are often superficial and fleeting ones. But when you touch or smell something quite new, something stimulating and keen, the experience remains a part of you.

Today though, on the riverside path, I couldn't take pleasure in any of these things. As Sal said, I had been leaning on my family, relying on my own unreal concept of its nature and value to see me through these last months. They – the children – were my only reasons for going on. And Sal was also right when she said that you have to have a reason. Life is not enough in itself. You have to be alive for the sake of something outside that skull-self. Or someone. I intend to live as long as I can for Llŷr's sake. Not for Sal. Llŷr is my justification. Somewhere deep down in my make-up are the seeds of those marvellous sensibilities that shine out in him. As the body fails, Sal herself becomes less important.

Did we ever mean anything much to each other apart from our bodies, and the physical pleasure – glorious and complex and varied, it's true – that we could always find in each other's bodies? But then, what is a human being apart from his body anyhow? His body is him. He is his body. Is there such a thing as a non-physical relationship on any level at all? Isn't friendship based to some

â pherthynas anghnawdol i'w chael o gwbl? Oni sefydlir pob cyfeillgarwch i ryw raddau ar atyniad corfforol? Onid oes elfen o gariad cnawdol, rhywiol i'w gael yn y berthynas fwyaf Platonaidd, bur, ddiniwed a glân, rhwng pobl o'r un rhyw sy'n glòs iawn at ei gilydd? Oherwydd yn y corff, wedi'r cyfan, yr ydym ni'n adnabod ein gilydd. Ac yn y corff yn unig. A chyn belled ag y gallaf i weld does dim rheswm arall dros fodoli. Byw mewn perthynas greadigol â rhywrai eraill: dyna sy'n caniatáu i ddyn dyfu, bod yn gyflawn, blasu bywyd yn hyderus, magu urddas, byw ychydig yn uwch na'r anifeiliaid.

Ac roedd Sal wedi tynnu'r teulu'n rhacs am fy mhen. Roedd hi, wrth gerdded o gwmpas gyda'i chwerwedd a'i sgrechian a'i hwyneb yn hyll gan ddicter, wedi ysgogi ffieidd-dod corfforol ynof. Nid oeddwn yn deall sut y gallwn fod wedi dyheu sawl tro am feddiant llwyr, gwefreiddiol ohoni. Ac os oedd hi'n dweud y gwir am y plant – ac yr oedd hi, fel roedd hi'n dweud, yn eu hadnabod yn well na mi – os oedd hi'n dweud y gwir, a oedd unrhyw elfen o ddyfnder a pharhad mewn unrhyw beth?

Eisteddais wrth yr afon a cheisio ymgolli yn symudiadau'r dŵr. Fedrwn i ddim. Daeth yr hen awydd i roi terfyn ar bopeth yn ôl yn gryfach nag erioed. Doedd dim gwerth mewn byw er mwyn byw. Cystal rhoi terfyn ar bethau fy hunan, rŵan. A neb arall o gwmpas. Oherwydd, yn y diwedd, doedd neb arall yn bwysig. Ei gyfrifoldeb ef ei hun yn unig ydy bywyd pob dyn. Dydy o ddim yn cael dewis pryd i ddod i'r byd; ond mae modd dewis pryd i fynd allan.

Doedd y bobl ifainc, a'r sôn am y bobl ifainc, ddim wedi mennu llawer arnaf. Roedden nhw a minnau, wedi'r cyfan, yn yr un tîm. Roeddwn innau wedi gweld marwolaeth y bywyd pentrefol, a'i gallineb rhagorol, a'i ddwfn adnabod; ac wedi wylo drosto. Ond wylo roeddwn i fel un wrth erchwyn gwely angau. Wylo dros drasiedi anochel. Roedd penderfyniad y bobl ifainc i weithredu, i fod yn feiddgar ac yn egnïol, yn wych. Ond doedd e'n mennu dim ar fy nhawelwch i. Sal ei hunan a ddinistriodd hwnnw.

Cerddais yn ôl i'r tŷ'n llawer cyflymach nag arfer, a phan gyrhaeddais yr ystafell fyw disgynnais yn swp ar y soffa a theimlo'r gwendid gwaelodol yn llethu pob gewyn a chymal. Yna haliais fy hun i fyny'r grisiau ac i mewn i'r tŷ bach. Yno ar y silff roedd y botel bils. Mater syml iawn, gweithred ddidrafferth, oedd

extent on physical attraction? Or at least on the absence of physical repulsion. Isn't there some element of carnal, sensual love to be found in even the most Platonic, pure and innocent relationship between people of the same sex who are very close to each other? Because it is in our bodies, after all, that we recognise each other. And only in our bodies. And as far as I can see, there is no other purpose for existing. Living out creative relationships with some other human being: that is what enables a man to grow, to be complete, to taste life confidently, to develop dignity, to live a little above the level of the common animal.

And Sal had brought the fabric of the family tumbling down about my ears. She, as she marched around in the night with her bitterness and her shouting and her face ugly with anger, had created in me a physical disgust, I couldn't understand at all how I had longed so often for total, ecstatic possession of her. And if she was telling the truth about the children – and she, as she said, knew them better than I did – if she was telling the truth, was there any element of depth and continuity in anything at all?

I sat by the river and tried to lose myself in the moving water. I couldn't. The old urge to put an end to everything there and then came back more strongly than ever. There was no point in living just for the sake of living. I might as well put an end to it myself right away. With no one else around. Because, in the end, no one else was of any importance. Each man's life is his own responsibility, and no one else's. You can't choose when you come into the world: but you can choose when you go out.

The young people, and our arguments about the young people, hadn't really affected me much. They and I, after all, were playing on the same side. I had seen the death of village life as well, with its solid sanity and its deep sense of community; and I had wept for its passing. But I was weeping as one weeps at a deathbed. I wept for an unavoidable tragedy. The young people's decision to act, to be bold and energetic, was superb. But it didn't disturb my peace. Sal alone had destroyed that.

I walked back to the house much more quickly than usual, and when I reached the living room I collapsed in a heap on the sofa and felt that awful weakness creeping through every muscle and joint. Then I dragged myself upstairs and into the toilet. There on the shelf was the medicine cupboard. And in the cupboard were the

gafael ynddi a thywallt pentwr o'r peli bach gwyn i'm llaw. Troi'r tap, llenwi gwydr â dŵr. A gweld fy wyneb yn welw yn y drych. Roeddwn i'n barod. Fe ellid gwneud y peth. Fe fyddwn i'n anymwybodol yn fuan iawn. Ac wedyn fyddwn i ddim yn deffro. Byth. Terfynolrwydd. Peidio â meddwl. Roedd yn rhaid peidio â meddwl. Roedd yn rhaid peidio â ffarwelio â bywyd. Roedd yn rhaid mynd, a dyna fo. Gweithredu. Yn gyflym ac yn ddifeddwl. Ond roedd yn well i mi fynd i orwedd ar y gwely. Fe fyddai'n llai o sioc i Sal pan ddeuai hi'n ôl. Doedd dim pwrpas mewn bod yn greulon. Fe gâi hi fy nghael i fel pe bawn i wedi syrthio i gysgu. Fe fyddwn i wedi syrthio i gysgu. Ond y byddai fy nghorff eisoes wedi dechrau pydru – ni fyddai bellach o unrhyw ddefnydd i neb, nac iddi hi nac i neb arall.

'John, ble rwyt ti, John . . . ?'

Roedd yn rhaid i mi beidio â meddwl am Sal. Roedd yn rhaid i mi weithredu.

'John, John!'

Roedd ofn yn y llais. Ofn ac euogrwydd. Sylweddolais nad oeddwn i ddim yn breuddwydio. Roeddwn i'n clywed llais Sal. Symudais yn gyflym i'r tŷ bach, gosodais y pils yn ôl yn eu lle, tynnu'r tsiaen, ac aros am foment cyn ateb.

'Ol-reit. Dw i'n dŵad i lawr rŵan.'

Ceisio rhwbio rhywfaint o fywyd yn ôl i'm bochau a'm gwefusau, ac yna cerdded mor ofalus-normal ag y gallwn i i lawr y grisiau. Doeddwn i ddim am iddi sylweddoli dim. Dim.

'Helô. Beth sy'n bod? Wyt ti wedi anghofio rhywbeth?'

Rhedodd ataf heb ddweud gair, rhoi ei breichiau amdanaf, a gwthio ei chorff yn f'erbyn.

'O, John, John. Plis paid â meddwl am beth ddwedes i . . . Smo i'n gwybod beth ddaeth . . . Rwy'n dy garu di, John . . . Plîs, plîs . . .'

Roedd y dagrau'n wlyb ar ei hwyneb, a storm o wylo'n ei hysgwyd drwyddi. Theimlais i ddim o gwbl i ddechrau. Dim ond realaeth ei chorff. Ond yna'n raddol daeth teimlad yn ôl. Dechreuais ymateb iddi. Fy nghorff i i'w chorff hithau'n gyntaf, yn galed ac yn ddigywilydd yn ei herbyn ar fy ngwaethaf. Ac yna llif o deimlad tuag ati. O biti. Ac o ddicter â mi fy hun. A gwybodaeth lwyr fy mod yn dyheu amdani. O hyd. Roedd angen byw er mwyn ei gwybod a'i phrofi hi.

pills. It was a very simple matter, quite effortless, to grab hold of it and pour a heap of the tiny white discs into my hand. Turn the tap. Fill a tumbler with water. Look at my pale face in the mirror. I was ready. The thing could be achieved. I would be unconscious almost at once. And after that I wouldn't wake up. Never. Finality. Darkness for ever. Stop thinking, that was the thing. I had to stop thinking about it. I had to go, and that was all there was to it. I had to act. Quickly and without thinking. Still, it would be better if I went and lay down on the bed first. It would be less of a shock for Sal when she came back. There was no point in being unnecessarily cruel. She could find me looking as though I had just dropped off to sleep. I would have just dropped off to sleep. Except that my body would already have begun to rot – it would no longer be of any use to anyone, not to her, not to anyone.

'John, where are you, John . . .'

I had to stop thinking about Sal. I had to act.

'John, John!'

There was panic in the voice. Panic and guilt. I realised that I wasn't imagining things. I could actually hear Sal's real voice. I quickly slipped into the bathroom. I put the pills back in the medicine cupboard. I pulled the chain, and waited for a moment before answering.

'Alright. Just coming down now.'

I tried to rub some colour back into my cheeks and lips, and then I walked slowly and deliberately down the stairs, fighting hard to stop my limbs trembling. She must know nothing. Nothing.

'Hello. What's wrong? Have you forgotten something?'

She ran to me without saying a word, threw her arms around me, wept on my shoulder.

'Oh John, John. Please don't think about what I said . . . I don't know what came over . . . I love you, John. Please, please . . .'

The tears were wet on her cheeks, and a storm of weeping shook her. To begin with, I felt nothing at all. Only the certainty that she was here. Then, slowly, feeling began to flow back. I began to respond to her. My body to her body to begin with, hard and shameless against her, and in spite of myself. And then a flood of feeling towards her. Of pity. Of anger with myself. And a total realisation that I longed for her. Still. I needed to live to know and experience Sal again.

'Tyrd i fyny, John. O, tyrd i fyny . . .'

Baglodd y ddau ohonom i fyny'r grisiau, disgyn yn drwsgwl ar y gwely, a brysio'n wyllt i dynnu dillad ein gilydd. Yna boddi yn ein noethni, y naill yn derbyn y llall yn syml, yn syth, ar unwaith ac yn ymgolli yn y storm o ryddhad, yn ymladd yn yr hen hen ffordd am feistrolaeth, am gyflawnder, am uniad amhosibl, llydan, llwyr, uniad clun a thraed a choes, uniad bron a braich, yn ogystal ag aelodau rhywiol. Ac yna, ymron ar unwaith heddiw, y tawelwch. Hyd yn oed wedyn, nid oedd Sal wedi bwrw ei hofn a'i heuogrwydd.

'O, John, doeddwn i ddim yn ei olygu fe . . . Tyrd, eto, John . . . gafael ynddo'i . . . 69 . . . ie, ie . . . ar unwaith.'

Ond doeddwn i ddim wedi anghofio'n llwyr beth allai fod yn gorwedd yn ein lle ar y gwely dwbl.

'Come up, John. O God, come up . . .'

We both stumbled upstairs, fell clumsily on the bed, and hurried to undress each other. Then we gave ourselves up to our nakedness, the one accepting the other simply, directly, at once, in utter release. And then, almost immediately today, peace. Even then, Sal hadn't lost her fear and her guilt.

'Oh John, I didn't mean it . . . Come on, again John . . . Hold me . . . Please . . .'

But I hadn't myself completely forgotten what could have been lying there on the bed in our place.

III

Mae'r dail y tu allan i'r ffenest yn fanwl brydferth. Gan fod fy ngwely i'n agos iawn at y gwydr, rydw i'n medru gorwedd yma a'u gwylio. A minnau mor llonydd, rydw i'n medru edrych arnyn nhw am hir iawn heb symud. Ac wrth edrych arnyn nhw mor hir, mae fy llygaid yn eu dwyn yn nes ataf, fel chwyddwydrau. Ac fe alla i weld y gwythiennau mân yn batrymau cymhleth dros bob deilen. Rydw i wedi bod yn darllen llyfr Aldous Huxley, *The Doors of Perception of Heaven and Hell.* Mae yntau'n sôn am ddail. Am eu pensaernïaeth a'u prydferthwch. Mae o'n sôn am effaith cyffuriau. Fel roedden nhw'n ei alluogi i weld popeth am y tro cyntaf. Yn angerddol. Hyd yn oed dail. Mae gweld popeth am y tro olaf yn creu'r un effaith . . . Fedra i ddim dal ymlaen i sgwennu . . . Rydw i wedi blino gormod.

Stŵr. O'r boen yn y nos. Stŵr a phoen ac ysgwyd, ysgwyd, ysgwyd yn yr ambiwlans. Stŵr a phoen ac ysgwyd. Mae hi'n gysurus iawn iawn yma yn y gwely. Ac mae'r ffenest yn anferth. Rydw i'n gweld popeth sy'n digwydd yn y byd. Ond roedd hi'n ofnadwy cyn i mi ddod. Roedd stŵr a phoen a Sal . . . Sal, Sal . . . O Sal, mae o'n brifo . . . Sal, mae o'n brifo . . . O, Mam, Mam . . . plîs gwnewch rywbeth. O'r bastard, bastard, bastard, mae o'n brifo . . . Beth? Na. Mae'n ol-reit, nyrs, meddwn i, mae'n rhaid 'mod i wedi dechra breuddwydio. Rydw i'n ddigon cyfforddus, diolch . . . Gorwedd yn y gwely. Rowlio drosodd. Drosodd a throsodd. Tynnu fy nghoesau i fyny'n dynn dynn. Dal f'anadl. O DDUW MAWR, y boen . . . MAM. MAM. MAE O'N BRIFO . . . Fe ddaethon nhw yn y diwedd. Dynion mewn capiau duon. A'r ysgwyd.

Weithiau rydw i'n medru eistedd i fyny am ychydig. Pan ddaw Sal yma, er enghraifft. Dydy'r plant ddim yn dŵad. Rydw i wedi dweud wrth hi am eu cadw nhw oddi yma. Fe fyddai wedi bod yn well pe bawn i wedi disgyn dan gar. Neu wedi cael strôc. Bod yn fyw un funud. Bod yn farw wedyn. O leiaf fe fyddai'r Cythraul hwnnw wedi bod yn drugarog. Oherwydd mae'r gelyn yn sicr o ennill yn y diwedd. O'r dechrau mae o'n ennill. Rydan ni'n dod allan, yn brewliach a chicio, hefo cymaint o bethau i'w gwneud, mor brysur. Ac o'r dechrau mae o'n ennill. Does dim gobaith o'r dechrau. Rwy'n credu fod Sal yn gwybod erbyn hyn. Mae'n rhaid

III

The leaves outside my window are incredibly beautiful. As my bed is very close to the window, I can lie here and examine them. I lie so still now, I can look at them for a very long time without moving. And as I lie and look at them like that, for minutes on end, the lenses of my eyes draw them nearer to me; gradually they begin to operate like binoculars. And then I can see the tiny veins, fashioned in complex, woven patterns over the surface of each leaf. I've been reading Aldous Huxley's *The Doors of Perception of Heaven and Hell*. He talks about leaves. About their architecture and their delicacy. He talks about the effects of drug-taking. How certain drugs enabled him to see everything again for the first time. With a new intensity. Like leaves. Seeing everything for the last time creates the same kind of effect . . . I can't carry on writing . . . I'm too tired.

Upsets. Oh God, the pain in the night. Upsets and pain and the shaking, shaking, shaking in the ambulance. Upsets and pain and shaking. It's very comfortable here in this bed. And the window is huge. I can see everything that's going on in the world. But it was dreadful before I got here. Upsets and pain and Sal . . . Sal! . . . Sal! . . . Oh God, Sal, it's hurting . . . Sal, it's hurting . . . Oh, Mam, Mam . . . Oh, Mam, please do something . . . Oh, the bastard, bastard, bastard, it hurts . . . What? No, it's alright, nurse, I said, I must have been dreaming. I'm quite comfortable, thank you . . . I just lay on the bed. Rolling over and over. Over and over. Pulled my knees up tight. Held my breath. O GOD, THE PAIN . . . MAM . . . MAM . . . IT HURTS . . . They came in the end. Men in white caps. And then the shaking. Upsets and shaking.

Sometimes I can sit up for a while. When Sal comes, for example. The children don't come. I've told her to keep them away. It would have been better if I'd been knocked over by a bus. Or if I'd had a stroke. Alive one minute. Dead the next. At least that Bastard would have been merciful. Because He's bound to win in the end. From the beginning the Bastard's winning. We come out into the daylight, bawling and kicking, with so many things to do, so busy. And from the beginning He's on a winner. There's no hope from the beginning. I think Sal knows by now. She must know. She doesn't say anything though. She just sits in that chair. And gets me

156

ei bod yn gwybod. Dydi hi ddim yn dweud dim wrtha i. Dim ond eistedd yn y gadair yna. A nôl diod. A rhwbio'r chwys i ffwrdd. Ac mae dagrau bach yn sleifio allan o'i llygaid bob hyn a hyn. Wedyn mae hi'n troi ei phen i ffwrdd. Ond rwy'n dal i weld y dagrau'n crwydro i lawr ei boch. Crwydro y maen nhw. Maen nhw'n cychwyn ar hyd un llwybr. Wedyn maen nhw'n newid cyfeiriad a throi ar hyd llwybr arall. Maen nhw'n symud, symud, symud, ond yn sychu cyn disgyn. Dydyn nhw byth yn disgyn . . .

Yn sydyn, heddiw, rydw i'n gwbl effro. Mae'r haul yn boeth trwy'r ffenest. A chyn bo hir fe ddaw'r nyrs ar frys i dynnu'r cyrtens. Rydw i eisiau iddi hi ddod hefyd. Ond dydw i ddim eisiau iddi hi ddod ar unwaith. Mae'r gwres yn boenus. Mae fy llygaid i'n brifo'n ddychrynllyd wrth edrych ar y byd mor llawn o oleuni. Fedra i ddim agor fy llygaid yn iawn. Dim ond agor tipyn bach bach arnyn nhw am ychydig eiliadau. Cymryd ffilm o'r stryd. Mae pobol yn cerdded mewn dillad haf. Ac mae ffurfiau'r tai yn batrymau sgwâr a hirsgwar fel llun. Rydw i'n cau fy llygaid wedyn ac yn cofio'r llun yn fy meddwl. Ond rydw i'n ychwanegu lliwiau ato fo. Rydw i'n gweld popeth yn fy meddwl mewn coch a gwyrdd llachar iawn. Does dim byd cynnil i'w weld yn y byd. Mae popeth yn siarp . . . mae'r nyrs wedi bod, ac mae'r ystafell yn dywyll, yn oer. Mae'r golau wedi mynd. Y golau sy'n brifo. Ond mae'r gwres wedi mynd hefyd. Mae gwres yr haul yn wahanol i bob gwres arall. Gwres yr haul sy'n ein cadw ni'n fyw. Pe bai'r haul yn oeri, mi fydda popeth yn marw. A phawb . . .

Mae Siân yn brydferth ofnadwy. Roeddwn i'n gwybod hynny o'r blaen, wrth gwrs, ond heddiw mae hi'n arbennig o brydferth. Rydym ni'n cerdded ar hyd llwybr y mynydd. Llwybr rhyw fynydd . . . Ond mae hi'n cerdded o'm blaen i; mae hi'n mynnu cerdded o'm blaen i. Wnaiff hi ddim disgwyl amdana i . . . Siân! . . . Wedyn mae hi'n aros yn uwch i fyny. Mae hi'n edrych allan i'r môr. Ac mae'r gwynt yn chwythu ei sgert o gwmpas ei choesau . . . Mae hi'n chwerthin . . . Siân! Aros! . . . Rŵan mae hi'n troi ac yn edrych arna i . . . Ond fedra i mo'i chyrraedd hi . . . Rydw i wedi blino gormod. Mae'n rhaid i mi orffwys . . .

157

a drink. And wipes the sweat away. And I can see those great big tears pushing out of the corners of her eyes sometimes. And they dribble down her cheeks. Then she turns her head away. But I can still see them. They just saunter down her cheeks. They start off quite quickly in one direction. Then they turn and take a different path. They wander down and down. But they dry up before they get to the bottom. They never drop . . .

Suddenly, today, I'm completely wide awake. The sun is warm through the window. And before long the nurse will come to draw the curtains because it's too hot for me. And because it hurts my eyes. I want her to come as well. But I don't want her to come too quickly. The heat is painful. My eyes ache dreadfully when the world is so full of light. I can't open my eyes properly. I can just open them a tiny bit for a few seconds at a time. I take film shots of the street. There are people walking by in summer clothes. And the houses are patterns of light and shade. Square patterns and rectangular patterns, like in paintings of houses. Then I close my eyes and remember the patterns. Though I add my own colours. In my mind, I see everything sharply, red and green. There aren't any shades. No pastel colours in my world. Everything is red and green . . . I think the nurse has been. Everything is dark. Dark and cool. The shining light has gone. It's the light that hurts. But the warmth has gone as well. The warmth of the sun is quite different from any other warmth. It's what keeps us alive. If it suddenly stopped, everything would die. And everyone . . .

Siân is terribly beautiful. I always knew that, of course, but today she really is beautiful. We are walking along that path on the mountain. A path on some mountain . . . But she's walking in front of me. Why does she keep on insisting on walking in front of me? She just won't wait for me . . . Siân! . . . Then she stops by herself further on. She looks out to sea. She can see the sea from there. The breeze is blowing her skirt around her legs . . . Siân! . . . Wait! . . . Now she's turning to look at me . . . But I can't reach her . . . No, you go on . . . I'm too tired . . . I'll just stay and have a little rest . . .

Heddiw, roedd hi'n ddydd Sul eto. Achos roedd sŵn canu emynau. Fe fûm i'n darllen heddiw am dipyn go lew. Fe geisiais i ddarllen y Beibl Cymraeg. Ond dydy o'n gwneud fawr o synnwyr. Mae'r ysbyty'n llawn sŵn crefyddol, ac nid yn unig ar ddydd Sul. Mae rhyw weinidog neu'i gilydd yn galw yma bob dydd, bron iawn. Rhai'n siarad am y tywydd a rhai'n siarad am Iesu Grist. Yr unig beth y galla i ei ddweud ydy fod 'bloody cheek' ganddyn nhw i gyd. Os na fedra i ddiodda gweld Llŷr a Menna, pam ddiawl y dylwn i fod isio'u gweld nhw? A dydyn nhw ddim yn gofyn ydw i isio'u gweld nhw. A dydyn nhw ddim yn gofyn ydw i isio iddyn nhw ista yna a phrepian. Maen nhw jest yn dŵad. Ac ymlaen trwy'r rigmarôl. Mi rydw i wedi cael llond bol ar y cwbl lot ohonyn nhw. Ond does gen i ddim digon o egni i ddweud wrthyn nhw am fynd. Mae'n haws gorwedd a gadael i'r meddwl grwydro tra byddan nhw'n patro 'mlaen. Wedyn gwenu'n neis arnyn nhw pan godan nhw i fynd o'r diwedd. Ond heddiw fe gollais i f'amynedd yn lân hefo rhyw hen greadur a rhoi llond ceg iddo fo. Biti hefyd; mae'n siŵr 'i fod o'n gwneud ei orau. Rhyw hen foi tenau, gwallt gwyn oedd o, ac fe ddaeth yn ei gôt ddu a sodro'i hun ar y gadair wrth f'ochr i. Roeddwn i'n meddwl fod y teip yna o weinidog hen-ffasiwn wedi diflannu ers oesoedd. Bois slic, coler-a-thei, siwtiau brown, reit ifanc, sydd ganddyn nhw yng Nghaerdydd y dyddiau yma. Ac yn Rhydaman hefyd. Mae rhyw jiráff mawr sy'n rhwbio'i ddwylo yn galw ar fam Sal bob hyn a hyn ac yn gwneud jôcs am Bingo. Dweud fod mam Sal yn mynd i'r Bingo yn lle i'r capel ar nos Fercher. Rydw i'n gwybod ble mae'r hen fois i gyd wedi mynd bellach. Maen nhw'n bla ar bob ysbyty yn y wlad. Roedd yn rhaid i mi droi ar hwn o'r diwedd a'i hel o i ffwrdd.

'Ylwch,' meddwn i wrtho fo, 'os ydw i'n marw, plîs ga i lonydd i farw'n ddistaw? Dydw i ddim isio'ch pregeth chi, a mi ydw i isio cysgu.'

Rhen greadur! Mae'n rhaid i mi beidio â bod mor gas.

Os oes yna Nefoedd, mae'n amlwg nad ydw i ddim ffit i fynd yno, beth bynnag. Doeddwn i ddim yn arbennig am oddef pobl eraill erioed. Rydw i'n ddychrynllyd o wael erbyn hyn. Fedra i ddim goddef neb ond y nyrs. Mae hi'n gwybod pryd i gau'i cheg. Ar ôl i'r hen ŵr fynd, fe rois i gynnig ar y Beibl unwaith yn rhagor. Ond dydw i ddim wedi arfer digon hefo geiriau Cymraeg. Maen nhw'n llifo i'w gilydd. Dydyn nhw'n ddim mwy na ffurfiau ar

Today, it was Sunday again. Because I could hear all that hymn-singing going on. I've been trying to read today for quite a while. I tried to read the Welsh Bible. But it doesn't make much sense. This hospital is full of religious noises. And not just on Sunday. Some minister or other calls with me every day, pretty well. Some talking about the weather and others talking about Jesus Christ. The only thing I can say is that they've all got a damn cheek. If I don't want to see Llŷr and Menna, why the hell should I want to see them? And they don't ask whether I want to see them. And they don't ask whether I want them to go on sitting there, prattling away. They just come. And then off they go on the whole rigmarole. I've had a bellyful of them all. But I just don't have enough energy to tell them to go away. It's much easier to lie still and let my mind wander while they chunter on. Then I smile gratefully at them when they eventually get up to go. But today I lost my temper with some old fellow and gave him a mouthful. Pity really. I expect he was doing his best . . . He was very thin, white-haired. He came in his black coat and sat down on the chair by my side. I thought people like him had disappeared years ago. They have these slick, young types in brown suits and suede shoes in Cardiff these days. And in Ammanford too. There's a great, long-necked giraffe who keeps rubbing his hands. He calls on Sal's mother from time to time. Says she goes to Bingo instead of the chapel-meetings on Wednesday nights. I suppose all the old fellows
just wander around hospitals . . . I had to turn on this one in the end.

'Look,' I said to him, 'if I'm going to die, please may I die in peace?'

I shouldn't have done really, but I just couldn't stand his racket in the end.

If there is a heaven, then I'm obviously not fit to go there. I was never really very good at tolerating other people. I'm terrible now. I can't abide anyone but the nurse. She knows when to shut up . . . After this old fellow went yesterday (I think I must still have a guilty conscience about him, because he keeps on popping up in my mind), I tried to read this Bible once again. But I don't read enough Welsh these days for it to make much sense. The words just run into each other. They are just shapes on the paper. There used to be sounds attached to them once . . . The sound of John Williams, Bryn Bras, and the sound of the parson's voice, reading the lessons.

bapur. Roedd sŵn yn gysylltiedig â nhw erstalwm. Sŵn llais John Williams, Bryn Bras, a sŵn llais y person yn darllen y llithoedd. Sŵn rhyw hogan yn darllen ar ddechrau'r Ysgol Sul pan oeddwn i'n ifanc iawn. Sŵn pregethwyr Diolchgarwch yn cyhoeddi'r testun o'r pulpud mawr. Fyddai'r person byth yn mynd i fyny i'r pulpud. Dim ond sefyll o'n blaenau ni a chael sgwrs. Ond roedd y pregethwr gwadd yn dringo i'r pulpud. Ac wedyn yn cyhoeddi'r testun. Ddwywaith neu dair . . . Ond bellach does dim lleisiau. Dim ond print ar bapur. Dydyn nhw ddim yn golygu dim . . . Barddoniaeth sy'n cydio. Keats. Treuliais oriau heddiw, o ganol y pnawn hyd nes yr oedd y cysgodion yn araf dduo'r dail y tu allan i'r ffenest, yn darllen dwy gerdd, 'Ode to a Nightingale' ac 'Ode to a Grecian Urn'! Hyd yn oed rŵan, a minnau'n sgerbwd hyll tenau dan y dillad gwely, rydw i'n gwybod mai prydferthwch sy'n bwysig. Darllenais drosodd a throsodd yn fy meddwl y llinellau, 'For ever warm and still to be enjoy'd, For ever panting, and for ever young.' Meddyliais wrth ddweud y geiriau am Sal, amdani hi a minnau hefo'n gilydd. Ond heb unrhyw deimlad dwfn iawn. Y geiriau oedd yn fy symud. Y geiriau, nid eu hystyr. Y geiriau a'u miwsig. A'r llinellau eraill sy'n dechrau, 'I cannot see what flowers are at my feet.' Ac yna'n sydyn, wrth i mi ddarllen, daeth sŵn geiriau emyn o'r ystafell gyffredin lle roedd criw o hen ddynion yn edrych ar raglen grefyddol ar y teledu. Yn hollol groes i'r graen, fe ddechreuais wrando. Roedd yr un prydferthwch unwaith eto'n llenwi'r lle. Codais ar f'eistedd i wrando. Aeth y geiriau â mi'n ôl yn syth i ryw nos Sul yn yr haf, Duw a ŵyr pa bryd, a minnau yn yr eglwys hefo Mam. Rhyw ddwsin yn unig oedd yno. Ond roedd y dail, fel ar y ffenest hon yma, yn taro'n ysgafn ar y ffenest, a'r un oedd geiriau'r emyn – 'Y mae'r dydd yn darfod, Agosáu mae'r nos.' Dechreuodd y dagrau lifo i lawr fy wyneb a daeth y nyrs fach o rywle a gafael yn fy llaw. Cyn hir roeddem ni'n gallu jocian ynglŷn â'r peth, diolch byth, ac fe aeth hithau o gwmpas ei busnes pwysicach. Ond mae'r tristwch dychrynllyd yn aros. Mae bywyd yn brifo o brydferthwch. Dydw i ddim eisiau mynd. O Dduw mawr, dydw i ddim ddim ddim eisiau mynd.

The sound of some girl reading in Sunday School when I was very, very young. The sound of the preacher announcing his text on Thanksgiving night from up above in the huge pulpit. The parson never used to go up into the pulpit. He used to just stand in front of us and chat. But the guest preachers climbed into the pulpit. And then announced a text. Two or three times over . . . But there aren't any sounds any more, just print on paper. The print doesn't mean a thing . . .

I've been thinking about that. About words. I was a great one for words once. I'd almost forgotten that. When I was small, I used to play with them. Welsh words, of course. And then English poems after I went to grammar school. And it's English poems that come back now. Today, I remembered Keats. When I was about sixteen, I would lie on the grass and read Keats. I think I even wrote some poems then. Funny, I'd forgotten all about it. Today, they managed to find me a copy of Keats in the library, and I read it all day, from the time the nurse took the midday soup away until it was almost dark in my room. I was lost in it. Lost and excited. Most of the time, I just read two poems over and over. 'Ode to a Nightingale' and 'Ode to a Grecian Urn'. Even now, perhaps more than ever now, as I lie here, an ugly skeleton under the concealing bedclothes, I know that beauty is the most important thing in life. I read over and over again the words, 'For ever warm and still to be enjoy'd, For ever panting and for ever young.' I thought about Sal as I read the words, about the two of us. But without any depth of passion. It was the words which moved me, not their meaning. And they moved me calmly, sweetly, not with any consuming passion. Just the words and their music. And then the lines which begin, 'I cannot see what flowers are at my feet'. Once, suddenly, as I was reading, the sound of a hymn came through from the common room where a group of old men were watching a service on television. They had all started to sing as they sat and gaped at the screen. Mumblingly, lost, entranced, hearing God knows what sweet music from the past, they croaked away in bizarre unison. I sat up and listened. I was overcome by the beauty that underlay it all. I felt tears in my eyes, and I even started to hum the tune myself. I too was carried back into the past. Back to some Sunday evening of high summer, when I had gone to church with my mother. There were only about a dozen people there, and I sat next to the window. The leaves, as they do on this window here, were

Mae'r Cythraul yn chwarae triciau hefo mi. Ddoe a heddiw rydw i wedi bod yn teimlo'n well. Mae hyd yn oed y boen wedi ymbellhau. Rydw i'n gwybod yn iawn nad ydy o'n golygu dim. Sefyll yn ôl er mwyn ennill nerth i ymosod eto mae o. Ond mae'r triciau'n demtasiwn. Penderfynais fy mod, wedi'r cyfan, am weld y plant. Weithiau mae'r pwl yn dod. Pwl o angen ac o wacter mawr. Fe wyddwn i'n iawn y byddai'r olwg sydd arna i erbyn hyn yn eu dychryn nhw. Ond fe gefais fy nhwyllo gan y Cythraul. Fe ddaethon nhw. Y tri ohonyn nhw hefo Sal. Roedd y cyfan yn drychinebus. Ceisiodd Menna fod yn normal. Doedd Siôn ddim yn gallu cuddio'i sioc. A dicter oedd ar wyneb Llŷr. Dicter a deimlais innau. Dicter at y dwli o halio'r plant yma i lenwi'u cof â thristwch hollol ddiachos. Fe wnaeth fy nicter i mi siarad hefo nhw'n ffwrbwt a'u hel i ffwrdd mewn dim o amser. Fe ddywedais wrth Sal nad oedden nhw ddim i ddod eto ar unrhyw gyfrif. Does dim modd i ni ddweud dim wrth ein gilydd bellach.

MAM . . . MAM . . . mi ydw i'n blydi byrstio . . . MAM . . . GWNA RYWBETH . . . GWNA RYWBETH . . . O be wna i . . . BE WNA I . . . Reit, nyrs . . . reit . . . rydw i'n gafael . . . O, mae o'n brifo, mae o'n brifo . . . whew . . . whew . . . ydy . . . gwell . . . reit.

Mae'r triciau drosodd. Mae o wedi dod yn ôl. Rydw i wedi penderfynu nad ydy'r Cythraul ddim am ennill yn hawdd. Hefyd nad ydw i ddim isio gweld Sal eto pan fydda i'n effro. Does dim pwynt. Mae hi'n dioddef gormod. Mae'n rhaid i mi fynd. Mae rhyw ddiawl rhagluniaeth wedi penderfynu fod yn rhaid i mi fynd. Ond does dim rhaid iddi hi wylio'r peth. Mae'n well iddi hi fynd allan a byw. Beth bynnag, yr unig un sydd o unrhyw fudd i mi bellach ydy'r nyrs fach sy gen i. Hi sy'n gwybod mai'r peth mwyaf anodd ydy mynd i'r tŷ bach. Bob tro rydw i'n gorfod sgrechian yr holl amser. Dyna'r unig ffordd. Mae'n rhaid ymlacio, mae'r Cythraul yn cael cyfle i frathu. Dydy Sal ddim yn deall. Dydw i ddim eisiau iddi hi ddeall. Ddyle hi ddim cael deall pa mor ddiawledig ddi-urddas ydy bod fel hyn; pa mor sgilgar ydy'r blydi Cythraul. Erbyn hyn rydw i naill ai'n cysgu neu mewn poen. Ond mae'n well gen i fod mewn poen na chysgu. Rydw i eisiau bod yn

playing a light tattoo on the glass, and the words of the hymn were the same – '*Y mae'r dydd yn darfod, Agosáu mae'r nos*' – day is coming to a close; the night is drawing near. Tears started to pour down my face, and the little nurse came from somewhere and held my hand. Before long, we were able to have a good laugh about it, thank God, and she went off about her business. But the sadness remains. Life is so full of beauty. I don't want to go. Oh God, great God, I don't don't don't want to go.

The Bastard is playing tricks with me. These last few days. I've been feeling better. Even the pain has retreated a little. I know perfectly well that it doesn't mean anything. He's just taking a breather before he attacks again. But his damn tricks are full of little temptations. I decided, for example, that I would, after all, see the children. Sometimes the urge comes. That terrible feeling of emptiness and longing. I knew very well that the way I look now would be sure to frighten them. But the Bastard succeeded in deceiving me. They came. All three of them with Sal. It was all totally disastrous. Menna tried to pretend not to notice. Siôn was just plainly shocked and repelled. And Llŷr was angry. Furious with fate. Furious to the point of hot, vicious tears. And his anger sparked my anger too. Anger at the crass stupidity of dragging the children here to slot this pathetic sight into their memories. There was no need for it. My anger with myself made me speak curtly to them, and I packed them off in no time at all. I've told Sal that she isn't to bring them again on any account. There really is nothing any of us can say to each other now.

MAM . . . MAM . . . Oh God, I'm coming apart . . . MAM . . . DO SOMETHING . . . DO SOMETHING . . . Oh, God, what shall I do . . . WHAT SHALL I DO . . . Right, nurse . . . right, I'm holding on . . . right . . . Oh God . . . Oh God . . . yes, that's better . . . Oh, God . . . yes . . . yes . . . right . . .

The tricks are over. He's come back. I've decided that he isn't going to win easily. Also that I don't want to see Sal again. She can come when I'm asleep if she wants to. But I don't want to see her. There's no point. We both suffer too much. I've got to go. Some bloody providence has decided that I've got to go. But she doesn't

effro ar hyd yr amser. Rydw i eisiau bod yma bob cam o'r ffordd. Mae'n rhaid iddyn nhw roi'r cyffuriau i mi, meddai'r nyrs, neu fe fuaswn i'n mynd yn wallgof ac yn sgrechian dros y lle ac yn styrbio pawb arall. Felly mae'n rhaid i minnau eu derbyn nhw. Ond rydw i'n ymladd i aros yn effro gymaint ag y medra i. Mae hithau'n gwybod hynny hefyd. Mae hi'n deall.

NYRS . . . MAM-MAM-MAM-MAM . . . fedra i ddim dal . . . Rydw i isio marw . . . O blydi Duw, gad i mi farw . . . Pam na cha i ddim blydi marw . . .? NYRS . . . gafael . . . gafael . . . Blydi Duw, be ydw i wedi'i neud? . . . Blydi Duw . . . bastard, bastard, bastard.

Mae'r nyrs yn rhoi adroddiad manwl ar y tywydd i mi bob bore. Dydy hi ddim yn cael agor y cyrtens bellach. Rydym ni'n byw mewn ogof. Mae hi'n braf heddiw eto, meddai hi. Mae tipyn bach o awel, achos rydw i'n clywed y brigyn yn taro yn erbyn y ffenest.

Nyrs, wyt ti'n fyw pan fydda i'n cysgu? Ble byddi di'n mynd wedyn, ar ôl . . . ? Fyddi di'n . . . ? Dydw i ddim yn gwybod pa gwestiynau i'w gofyn. Dydw i ddim yn cofio beth sy'n digwydd y tu allan i'r ffenest.

'Ydach chi'n grefyddol, nyrs?'

Gofynnais y cwestiwn heb fwriadu ei ofyn. Heb fwriadu sôn am y fath bethau o gwbl. Fyddem ni ddim yn arfer sôn am y pethau sydd am ddigwydd. Dim ond am y pethau sydd yn digwydd. Pethau fel y tywydd. Y pethau mae pawb yn siarad amdanyn nhw am eu bod nhw'n ddiogel.

'Crefyddol? Na, smo i'n credu 'ny.'

Mae hi'n ifanc iawn.

'Ydach chi'n meddwl fod bywyd ar ôl marwolaeth?'

have to be part of it. It's better for her to go out and live while she can. What's the point of wasting it . . . Anyhow, the only one that's any use is my little nurse. She's the one who knows that the most difficult thing is going to the toilet. Every time I go, I have to scream the whole time. That's the only way. You have to relax, and that's when the Bastard gets his chance to bite. Sal doesn't understand. I don't want her to understand. She mustn't ever understand how bloody undignified being like this is. How crafty the Bastard can be! By now, I'm either asleep or in pain. But I'd rather be in pain than asleep. I want to be awake the whole time. I want to be here, and completely here, every inch of the way. They've got to give me these drugs, the nurse says, or I'd go mad and scream all the time and upset everybody else. So I've got to accept them. But I'm fighting to stay awake as much as ever I can. She knows that. She understands.

NURSE! . . . MAM! MAM! MAM! MAM! MAM! . . . I can't bear it . . . I can't I can't I can't . . . I want to die . . . O bloody God, let me die . . . Why can't I bloody die . . . NURSE! . . . hold me . . . hold . . . Bloody God, what have I done . . . Bloody God . . . Bastard, Bastard, Bastard . . .

The nurse gives me a detailed weather report every morning. She isn't allowed to open the curtains at all now. We live in a cave. It's fine outside again today, she says. There is certainly a breeze, because I can hear the branches tapping against the window.

Nurse, are you alive when I'm asleep? Where do you go after we . . . Do you . . . I don't know what questions to ask. I don't remember what goes on outside that window.
    'Are you religious, nurse?'
    I asked the question without really intending to. Without intending to talk about such things at all. We don't talk about things that are going to happen. Only about things that have happened. Things like the weather. This is a definite rule. We talk about all the things everyone else talks about because they are harmless and safe.
    'Religious? No, I don't suppose so.'
    She is very young.
    'Do you think there's such a thing as life after death?'

Edrychodd arnaf yn araf, yn hollol agored. Pwysodd yn erbyn y gwresogydd dan y ffenest, a meddyliodd. 'Smo i'n gwybod, wrth gwrs. Pwy sy'n gwybod, yntefe? Odw, w i'n credu fod e . . .'

Gwenodd yn fwy petrus nag erioed o'r blaen. Roedd yn ceisio bod yn onest. Ond beth oedd y fath beth yn ei feddwl?

'Ga i ofyn rhywbeth i chi?' Roedd y nyrs yn eistedd wrth fy ngwely yn gwau. Roeddem wedi dod yn gyfeillion agos. Hi'n ifanc ac yn llawn sudd deunaw oed, yn swil, yn dawel dan ei gwallt du. Minnau'n sgerbwd. Eisoes yn sgerbwd. Ond fi oedd fel arfer yn gofyn y cwestiynau. Llwyddais i hanner-troi fy mhen tuag ati.

'Siŵr. Beth?'

'Ych chi'n credu mewn priodas?'

'Ydw.' Roedd fy llais mor wan, roedd yn rhaid iddi bwyso ymlaen.

'Chi ddim isie gweld ych plant nawr. Rown i'n meddwl . . .'

'Na. Nid fel'na mae hi. Nid fel'na!'

'Chi'n gwbod y doctor ddaeth i'ch gweld chi neithiwr?'

Nodiais. Roedd hi'n brifo i siarad. Nodiais fy mhen.

'Rydw i'n mynd mas 'dag e. Rydym ni mewn cariad. Mae e wedi gofyn i mi fynd i fyw 'dag e.'

Ddwedes i ddim byd. Roedd yn rhaid arbed egni. Doedd dim byd i'w ddweud eto. Gafaelodd yn fy llaw.

'Ŷch chi'n credu fod hynny'n iawn? Fe fydde'n well gen i briodi'n iawn. Smo i isie'i golli fe.'

Llamodd tryblith bywyd yn ôl i'm meddwl. Yr holl gymhlethdod cynnwrf a phoen. Popeth oedd yn digwydd y tu allan i'r ogof hon. Roedd hi'n byw yn y byd hwnnw. Beth oedd a wnelof i â hynny? Beth sy'n iawn a beth sydd ddim yn iawn? Hogiau drwg a hogiau da? Yr unig ddaioni ydy'r hyn sy'n arwain i fywyd, i brydferthwch, i greadigaeth newydd, i'r llawenydd sy'n berwi mewn egni a chariad a chreu. Yr unig ddrygioni ydy'r hyn sy'n arwain at ddinistr, i ddistryw, i gasineb; yn bennaf i gyd, i farwolaeth. Drygioni ydy'r Cythraul Cancr, y sgerbwd rydw i'n gorfod byw ynddo, diawledigrwydd poen sy'n lladd llawenydd. Daioni ydy

She looked at me slowly, very honest and open. She leaned back against the radiator by the window and thought.

'Well, I don't know, do I? Nobody knows, do they? Yes, I reckon there is . . .'

She smiled uncertainly. I had never seen her so uncertain. She was telling the truth. But what could life after death possibly mean? What would I do with this stupid, leaking carcass I'm in now?

'Can I ask you something?'

The nurse was sitting by my bed, knitting. We had become close friends. She full of the sap of youth, smooth-skinned, supple, expectant and warm beneath her dark hair. And me a skeleton. Already a skeleton. But it was usually me who asked the questions. I managed to turn my head a little in her direction.

'Mmm. What?'

'Do you believe in marriage?'

'Yes.' My voice was so weak, she had to lean forward to hear me.

'You don't want to see your children anymore. I thought . . .'

'No. It's not like that . . .'

But I couldn't finish the sentence. It hurt too much to talk. I just shook my head wisely. She went on.

'You know the doctor that came to see you last night?'

I nodded. It was easier to nod.

'I'm going out with him. He says he loves me. He wants me to go and live with him.'

I didn't say anything. There was nothing to say yet.

'Do you think that's right? I want to get married, you see.'

There was silence for a moment. I was looking at the hair curling around her cheeks. It was as though it was alive.

'I don't want to lose him though. I'd do anything to keep him.'

I forced myself to think about what she'd said. All the confusion of life poured back through the turmoil of memory. All that pain and excitement, all the desperate effort to understand. Everything that went on outside my cave. She lived out there. What had I to do with all that? Right and wrong? Good boys and bad boys? The only good is that which leads to life, to beauty, to new creation, to the joy that wells up in all loving and doing and creating. The only evil is that which leads to destruction, to desolation, to hatred; above all, to death. The Bastard Cancer is evil, the skeleton I've got to live

168

tynerwch ei llaw, y bywyd benywaidd ynddi sydd ar fin ffrwydro'n derfysg creadigol.

'Mae bywyd yn iawn, 'nghariad i. Bywyd sy'n iawn. Beth bynnag sy'n arwain at fywyd . . .'

'Rŷch chi'n credu 'i fod e'n iawn, 'te?'

Doedd gen i ddim egni i ddweud popeth. Dim egni i rybuddio, i sôn am beryglon. Dim egni i egluro am Sal a'r plant, i ddweud mai hwy oedd fy mywyd i. Pan beidion nhw, fe beidiais innau. A gadael sgerbwd.

'Ydy,' meddwn, 'os ydach chi'n caru'ch gilydd. Cariad sy'n cyfri.'

Rwy'n marw. Mae hi'n dywyll nos yn y byd, rwy'n credu. Mae hi'n llonydd llonydd yma. Dydw i ddim yn gweld dim. Dydw i ddim yn teimlo poen.

Mae Siân wedi dod o'r diwedd. Pam mae hi'n edrych trwy'r ffenest? Mae hi'n dywyll. Wêl hi ddim byd. Os af i i gysgu nawr, fe fydda i'n marw. Mae'n rhaid i mi aros yn effro. Rydw i'n mynd i gysgu. Mae'n rhaid i mi beidio . . .

'Nyrs, roeddwn i'n meddwl neithiwr fy mod i'n marw. Roedd popeth mor dawel. Gwnewch yn siŵr ei fod o'n eich caru chi.'

Mae'r boen yn ôl heddiw. Mae popeth fel o'r blaen.

'Pam rydach chi'n credu, nyrs?'

'Mae e'n gwneud synnwyr i fi.'

Synnwyr? Sut fath o synnwyr? A'r corff yn methu symud? Coesau fel brigau. Popeth yn llonydd. Sut fath o synnwyr?

'Beth ydy pwrpas bywyd, nyrs? Oes pwrpas mewn bywyd?'

'Smo i'n gwbod. Byw gystal ag y gallwn ni, yntefe? Siŵr o fod.'

Gwenodd, dan ei haeliau. 'A chael cariad. Yntefe?'

Does dim stop. STOPIA. PAID. PAID. PAID. Mae'n ddiddiwedd bellach. Blydi blydi CYTHRAUL. Be dw i wedi'i neud? Pam fi? PAM FI? PAM FI? Pam ddiawl rwyt ti'n fy hela fi?

169

inside, the hell of pain that murders joy. Goodness is the gentleness of her hand, the woman's life within her that is on the verge of breaking out in a tempest of love.

'Life is right, love. It's life that's right. Whatever makes things alive . . .'

'You think it's all right then?'

I didn't have the energy to say everything. No energy to warn, to pinpoint her path with dangers. No energy to talk about Sal and the children, to tell her that they were my life. When they stopped existing for me, I stopped as well. Leaving a skeleton.

'Yes,' I said, 'if you love each other. That's what's important.'

I'm dying. I think it's dead of night out in the world. It's still, terribly still, in here. I can't see anything. I don't feel any pain.

Siân has come at last. Why is she looking through the window? It's dark. She won't be able to see anything. If I go to sleep now, I shall die. I must stay awake. I'm falling asleep. I mustn't . . .

'Nurse, I thought I was going to die last night. Everything was so quiet. They say people know. I thought it had come . . . You must make sure he loves you . . .'

The pain has come back today. Everything is just as it was.

'Why do you believe, nurse?'

'It makes sense to me.'

Sense? What kind of sense? When the body can't move. Legs like sticks. Everything lifeless. What kind of sense?

'What is the purpose of life, nurse? Does life have a purpose?'

'I don't know. For living as well as we can, isn't it? I suppose.'

She grinned, looking at me through her eyelashes. 'And loving. Isn't it?'

It doesn't stop . . . STOP . . . STOP. STOP. STOP . . . It's all the bloody time. Bastard . . . BASTARD . . . What have I done? Why me? WHY ME? . . . WHY ME? Why the hell have you got it in for me?

'Rwy'n mynd i ofyn ydy e'n fodlon priodi. Mi fydde'n well gen i briodi. Odych chi'n esmwyth?'

'Ydw diolch, nyrs. Fe gysga i heno, rwy'n credu. Dwedwch fy mod i'n dweud ei fod o'n lwcus . . . Pob lwc . . .'

Roedd fy ngwefusau'n rhy sych a'm ceg yn rhy lawn o friwiau i mi fedru gwenu arni. Ond rhoddais fy llaw am foment ar ei braich. Roedd yr olwg yn ei llygaid yn ddwfn ac yn gyfrinachol, yn llawn gobeithion ofnus gynhyrfus, eisoes ymhell y tu hwnt i furiau'r ysbyty. Wrth iddi fynd trwy'r drws ceisiais godi fy llais:

'Mi ga i glywed yr hanes fory.'

Ond edrychodd hi ddim yn ôl. Doedd hi ddim wedi clywed.

'I'm going to ask him to marry me. I want to get married properly. Comfortable?'

'Yes thank you, nurse. I think I'll sleep tonight. Tell him I say he's lucky . . . very lucky . . .'

My lips were too dry and my mouth too full of sores for me to be able to smile at her. But I put my hand out and touched her arm. Her eyes were deep and dark, full of hopes and fears, far beyond the walls of our cave. As she went out through the door, I tried to raise my voice:

'You can tell me what he says tomorrow.'

But she didn't look back. She hadn't heard.

NODYN GOLYGYDDOL

Golygwyd cyn lleied â phosibl ar y testun Cymraeg, ond addaswyd dilyniant y paragraffau er mwyn cael cysondeb rhyngddynt â'r testun Saesneg.

Francesca Rhydderch
Gwasg Gomer

EDITOR'S NOTE

R. Gerallt Jones's English version of *Triptych* has been edited as lightly as possible. On one occasion, however, we silently inserted an approximate English translation where there was none in the typescript (p. 30: 'costly car' for 'glud drud').

Francesca Rhydderch
Gomer Press